# DU RÊVE POUR LES OUFS

Faïza Guène a 22 ans. Elle est l'auteur de *Kiffe Kiffe demain* (Hachette Littératures, 2004) et de plusieurs courts et moyens-métrages.

*Paru dans Le Livre de Poche :*

KIFFE KIFFE DEMAIN

FAÏZA GUÈNE

# *Du rêve pour les oufs*

la precarité
la frivolité
differencen cultureller
le ton - drôle
le ton léger
critique → léger
changement

HACHETTE LITTÉRATURES

ISBN : 978-2-253-12186-2 – 1<sup>re</sup> publication LGF

# Le froid de la grande ville

Ça caille dans ce bled, le vent fait pleurer mes yeux et je cavale pour me réchauffer. Je me dis que je ne vis pas au bon endroit, que ce climat-là n'est pas pour moi, parce que au fond, ce n'est qu'une question de climat, et ce matin, le froid ouf de France me paralyse.

Je m'appelle Ahlème et je marche au milieu des gens, ceux qui courent, se cognent, sont en retard, se disputent, téléphonent, ne sourient pas, et je vois mes frères qui, comme moi, ont très froid. Ceux-là, je les reconnais toujours, ils ont quelque chose dans les yeux qui n'est pas pareil, on dirait qu'ils aimeraient être invisibles, être ailleurs. Mais ils sont ici.

À la maison, je ne me plains pas, même quand ils coupent le chauffage, sinon Papa me dit : « Tais-toi, tu n'as pas connu l'hiver 63. » Je ne réponds pas, en 63, je n'étais pas née. Alors, j'avance et je glisse sur les rues lisses de France, je passe rue Joubert où quelques putes se parlent d'un trottoir à l'autre. On dirait de vieilles poupées abîmées qui ne craignent plus le froid. Les prostituées sont l'exception climatique, peu importe l'endroit, elles ne sentent plus rien.

Mon rendez-vous à l'agence d'intérim est à 10 h 40. Pas 45. Pas 30. C'est précis, en France, chaque minute compte et je n'arrive pas à m'y faire. Je suis née de l'autre côté de la mer et la minute africaine contient bien plus que soixante secondes.

Sur les indications de M. Miloudi, le conseiller de la mission locale de mon quartier, je me suis adressée à cette nouvelle boîte : Intérim Plus.

Miloudi, c'est un vieux de la vieille. Il tient la mission locale de la cité de l'Insurrection depuis des années et a dû voir défiler tous les cassos[1] du secteur. Il est plutôt efficace. Par contre, il est pressé. Lors de mon entretien, il n'avait pas traîné :

« Installe-toi, jeune fille...

— Merci, monsieur.

— Et la prochaine fois, avise-toi de frapper avant d'entrer, s'il te plaît.

— Désolée, monsieur, j'y ai pas pensé.

— C'est pour toi que je dis ça, ça peut te faire échouer à un entretien, ce genre de choses.

— Je m'en souviendrai.

— Bon, allons-y, ne perdons pas de temps, nous n'avons que vingt minutes devant nous. Tu vas remplir le formulaire de compétences qui est devant toi, écris dans les cases en lettres capitales et ne fais pas de fautes d'orthographe. Si jamais tu hésites sur un mot, demande-moi le dictionnaire. Tu as apporté ton CV ?

— Oui. En cinq exemplaires, comme vous m'avez dit.

— Très bien. Voilà le papier, remplis-le attentivement. Je reviens dans cinq minutes. »

---

1. Cas sociaux.

Il sortit de sa poche une boîte d'allumettes de cuisine, son paquet de Marlboro et quitta la pièce, me laissant face à mon destin. Sur le bureau, il y avait des tas de dossiers, de la paperasse à perte de vue, ça prenait tout l'espace. Et surtout, une horloge énorme était accrochée au mur. Chaque mouvement de ses aiguilles produisait un bruit qui retentissait en moi comme si on sonnait le glas. J'avais chaud tout à coup. J'étais bloquée. Les cinq minutes passèrent comme un TGV et je n'avais écrit que mon nom, mon prénom et ma date de naissance.

J'entendis la toux sèche de M. Miloudi dans le couloir, il revenait.

« Alors ? Où en es-tu ? Tu as fini ?

— Non. J'ai pas terminé.

— Mais tu n'as rien rempli ! dit-il en se penchant sur la feuille.

— J'ai pas eu le temps.

— Il y a plein de gens qui attendent des rendez-vous, je dois voir d'autres personnes après toi, tu les as vues dans la salle d'attente. Il nous reste dix minutes à peine pour contacter la SREP, parce que ça ne sert à rien de passer par l'AGPA à cette période de l'année, il n'y a plus de places. On va essayer le FAJ, la formation rémunérée... Pourquoi tu n'arrives pas à remplir ? C'est pourtant simple.

— Je sais pas quoi mettre dans la case "projet de vie"...

— Tu as bien une idée ?

— Non.

— Mais sur ton CV, il est indiqué que tu as beaucoup d'expériences professionnelles, il doit bien y avoir quelque chose qui te plaît dans tout ça.

— C'étaient des petits jobs de serveuse ou de vendeuse que j'ai faits. C'est pour gagner de l'argent, monsieur, c'est pas mon projet de vie.

— Bon, laisse tomber le formulaire, on n'a pas le temps. Je vais te donner l'adresse d'une autre agence d'intérim en attendant de contacter le FAJ. »

Johanna, l'employée de bureau d'Intérim Plus, a l'air d'avoir seize ans, elle a la voix qui tremble et articule douloureusement. Je saisis qu'elle me demande de remplir un questionnaire, elle me donne un stylo portant le logo ridicule de leur boîte et m'invite à la suivre. La demoiselle porte un jean ultra-moulax qui laisse apparaître tous les écarts de son régime Weight Watchers et lui donne des allures de femme adultère. Elle m'indique un siège près d'une petite table où je peux m'installer. J'ai du mal à écrire, mes doigts sont gelés, je peine à les desserrer. Ça me rappelle quand Papa – le Patron, comme on l'appelle – rentrait du travail. Il avait toujours besoin d'un peu de temps pour ouvrir ses mains. « C'est à cause du marteau-piqueur », il disait.

Je gratte, je remplis leurs cases, je coche, je signe. Tout est minuscule sur leur formulaire et leurs questions sont presque vexantes. Non, je ne suis pas mariée, je n'ai pas d'enfants, je ne suis pas titulaire du permis B, je n'ai pas fait d'études supérieures, je ne suis pas reconnue invalide par la Cotorep, je ne suis pas française. À la rigueur, où se trouve la case « Ma vie est un échec » ? Comme ça, je coche directement oui, et on n'en parle plus.

Johanna, le jean serré jusqu'à la déchirure de l'utérus, me propose d'un ton compatissant une première mission intérim. C'est marrant d'ailleurs qu'ils appellent ça des missions. Ça donne aux sales boulots des aspects d'aventures.

Elle me propose un inventaire à Leroy Merlin vendredi prochain dans la soirée. Je dis oui sans la moindre hésitation, j'ai tellement besoin de travailler que je pourrais accepter presque n'importe quoi.

Je sors de là, très satisfaite, preuve qu'il m'en faut peu.

Je me mets ensuite en route pour rejoindre Linda et Nawel à La Cour de Rome, une brasserie dans le quartier Saint-Lazare, tout près de l'agence. Ça fait déjà quelques semaines qu'elles cherchent à me voir et j'avoue que je fuis un peu les sorties quand l'argent me manque. Et puis ces derniers temps, les filles sont souvent collées à leur petit copain, et ça me fatigue un brin, je me sens toujours mal à l'aise d'être plantée là, au milieu d'eux. Je ne suis plus très loin du titre de championne d'Europe et d'Afrique de la tenue de chandelle.

Les filles sont installées au fond de la salle sur la banquette. Je le savais, elles font toujours comme ça, je les connais par cœur leurs vieilles habitudes de fumeuses qui se planquent. Au quartier, elles se sont même trouvé un QG. Elles se foutaient toujours derrière le stade pour s'en griller une, et le code pour s'y retrouver, c'était : « On va faire du sport ? »

Comme d'habitude, elles se sont mises sur leur trente et un. J'ai remarqué qu'elles ont toujours la classe, et je me demande comment elles font pour passer autant de temps à s'habiller, se maquiller, se coiffer. Rien n'est laissé au hasard, tout est accordé, calculé, choisi avec soin.

Les rares fois où il m'arrive de consentir à cet effort-là, ça me crève, c'est trop de boulot. Qu'est-ce *verlan femmes*

qu'on ne ferait pas, nous les <u>meufs</u>, pour s'attirer ne serait-ce qu'un regard sympathique ou un compliment dans nos journées de doutes... Et celles qui disent que si elles se sapent aussi bien, c'est uniquement pour se faire plaisir, mon œil !

Lorsque j'arrive au niveau des filles, synchrones, elles allument une cigarette et m'accueillent dans un « salut » chaleureux et enfumé.

Pour ne pas changer, suit aussitôt un « quoi de neuf ? » et on se laisse chaque fois la liberté d'y réfléchir quelques secondes avant d'engager le débat.

Puis vient la question inévitable que je redoute toujours.

« Et les amours ? » Un hochement de tête suffit dans ces cas-là. Elles comprennent très vite. Je me demande d'ailleurs pourquoi, lorsqu'on pose cette question, on met « amour » au pluriel. C'est déjà pas gagné de trouver un amour singulier, pourquoi compliquer les choses davantage ?

Ensuite, comme d'habitude, l'éternel refrain : « Comment une jolie fille comme toi est encore célibataire ? C'est parce que tu ne veux pas... C'est de ta faute, t'es trop difficile... On t'a présenté des putains de mecs, des bêtes de beaux gosses, on peut plus rien faire pour toi, t'es fermée. »

Je n'arrive pas à leur faire comprendre que je ne le vis pas si mal qu'elles le croient, parce que si tout se passe bien, la ménopause, c'est pas pour demain. Rien à faire, elles s'acharnent à me présenter des ploucs. Des mecs en mode « 2 de QI » qui friment comme pas permis, des prétentieux, des types qui n'ont aucune conversation ou des dépressifs chroniques.

*dolys*

Alors, je fais une magnifique <u>esquive</u> rotative dont

je suis très fière afin que l'on change de sujet – pour
ça, je suis très douée, triple championne d'Afrique et
d'Europe de saut d'obstacles et de problèmes.

Je crois qu'en fait, comme la plupart des gens, elles
ont déjà un plan de vie dans leur tête, tous les éléments sont là, comme les pièces d'un puzzle qui n'attendent que de s'emboîter. Elles partagent leur temps
entre boulot et loisirs, partent en vacances au même
endroit tous les étés, achètent toujours la même
marque de déodorant, ont des familles cool, et des
petits amis depuis longtemps. Même leurs copains
sont des mecs « zéro défaut », des garçons que j'aime
bien mais avec qui, personnellement, je ne partirais
jamais en week-end. Aucune fausse note. Ils viennent
carrément du même village qu'elles, au bled, voilà
qui va faire plaisir aux parents. On dirait qu'on vit
une sorte de retour à l'inceste. Au moins, ton frère,
c'est sûr qu'il vient exactement du même endroit que
toi, tu peux vérifier, demande à ta mère. Les filles
trouvent que c'est pratique, parce que si les traditions
sont différentes, les familles ne s'entendent pas sur
tout ; et puis c'est compliqué pour l'éducation des
enfants, si on ne parle pas la même langue... Moi, je
dis que ce ne sont que des détails ridicules, on ne
fonde pas un foyer sur des questions pratiques.

Nawel revient de vacances, elle était en Algérie
dans la famille de son père, je lui fais remarquer
qu'elle a perdu beaucoup de poids, au moins cinq
kilos.

« Ah ouais ? J'ai maigri vraiment ?

— T'as séché carrément. Tu fais pitié, *miskina*[1]

— C'est l'effet retour au bled.

---

1. « La pauvre » en arabe.

— Des vacances régime, quoi.

— Ouais, voilà... La chaleur, les haricots verts remplis de filoches à chaque repas, les blagues de la grand-mère, les feuilletons chiliens... C'est sûr que tu maigris.

— Mais comment t'as fait ? Deux mois pleins au bled, j'aurais déprimé direct..., demande Linda, intriguée.

— Ben ça passe. Juste ce qui était un peu relou, c'est la télé, y a qu'une chaîne. Même *Mister Bean* c'est censuré là-bas.

— Au moins, ça évite les ambiances gênantes genre toute la clique devant la télévision, et bim ! y a une scène un peu hot ou une pub pour le gel douche. Là, le daron se met à tousser et faut être vif, tu saisis la télécommande et tu zappes illico. C'est pour ça que maintenant, chez moi, on a mis la parabole. Ça nous a sauvé la vie parce qu'à la télé française, ils kiffent trop foutre des meufs à poil pour un oui ou pour un non.

— Et avec la famille, ça s'est bien passé ?

— Ma famille de crevards[1]... La première semaine, ils nous aimaient trop parce que les valises étaient pleines. Dès qu'on a distribué tous les cadeaux, c'était fini, ils nous calculaient plus. J'ai dit à ma mère : "Sur le Coran, l'été prochain, on prend Tati comme sponsor, c'est mieux." »

Puis, c'est l'heure du bilan des potins du quartier avec Linda.com. Elle est trop forte, une vraie pipe-lette. Linda, elle sait tout sur tout le monde, je ne

---

1. « Radins ».

comprends pas comment elle fait, parfois elle connaît les histoires des gens avant eux.

« Vous voyez qui c'est Tony Lopez ?

— Non, c'est qui ?

— Mais si, le nouveau du 16.

— Un blond ?

— Non, un grand brun. Il bosse chez Midas.

— Ouais, et il a quoi ?

— Il sort avec Gwendoline !

— La petite, là ? La rousse de ton immeuble ?

— Non, pas elle. L'anorexique, celle qui a plein de tatouages pas terminés. Nawel, toi, c'est sûr que tu la connais.

— Ouais, je vois qui c'est, c'est bon, chaque fois je la croise dans le bus quand je vais tafer. Au fait, un truc qui m'a toujours intriguée, tu sais pourquoi elle a fini aucun de ses tatouages ?

— Mais comment tu veux qu'elle sache ça ? dis-je, naïve.

— Si, si, je sais...

— Putain, tu fais flipper, une vraie commère. Raconte.

— Elle était avec un type chelou avant, un tatoueur. Ben voilà. Il lui a entamé des tatouages et il a jamais pu les finir puisqu'il l'a jetée en l'air pour une autre fille.

— Un vrai bâtard. Il aurait quand même pu finir le boulot.

— Bref, l'anorexique, elle sort avec Tony Lopez, et après ?

— Ben il voulait la quitter. D'après mes sources, c'est parce qu'il se tape la comptable de chez Midas. Et puis comme Gwendoline elle le kiffe trop, elle lui a mis la pression psychologique pour qu'il reste avec elle. Alors il a fini par rester et il s'est fait mettre à l'amende...

— Et après ? Accouche ! Arrête de faire ton suspense à deux centimes.

— Elle lui a fait un gosse dans le dos, la bouguette[1]. Là elle est enceinte jusqu'aux yeux. Truc de ouf, hein ? »

Et voilà, chaque fois, elle termine par : « Truc de ouf, hein ? »

On s'est raconté encore deux ou trois histoires, de celles qui se disent à voix basse, avant de se séparer dans un sourire qui a laissé échapper quelques-uns de nos secrets et qui me protège fort du dehors et de son froid.

Le quai est noir de monde, il y a des perturbations sur la ligne. Un train sur quatre je crois, c'est ce qu'ils ont dit à la radio.

Je suis donc forcée d'étreindre la barre du wagon. Il manque d'air ce RER, on me pousse, on m'oppresse. Le train transpire et moi, je me sens étouffée par toutes ces silhouettes tristes qui cherchent un peu de couleurs. On dirait que le souffle de toute l'Afrique ne leur suffirait pas. Ce sont des fantômes, ils sont tous malades, contaminés par la tristesse.

Moi, je rentre à Ivry aider ma voisine, Tantie Mariatou, et ses enfants. Mon RER asthmatique me crache dans ma zone où il fait plus froid encore. Il y a des jours comme ça où on ne sait plus où on va, on se dit qu'on n'a pas de chance, et tant pis. C'est vrai

---

1. « Fille ».

que c'est triste, mais heureusement, au fond, il reste toujours ce petit truc qui nous aide à nous lever le matin. Sans aucune garantie, on pense qu'un jour, ce sera mieux. Comme dit Tantie : « Les plus belles histoires sont celles qui commencent mal. »

# L'arbre à dollars

J'envie les enfants de cette maison. C'est beau comme ils sont entourés d'amour et de chaleur, cette famille est un vrai poème. Tantie Mariatou, la mère dans toute sa splendeur, a volé la douceur à son essence, on croirait qu'elle a arraché au cotonnier ce qu'il a de meilleur pour couver ses petits. Je suis chaque fois fascinée de la voir les éduquer fermement tout en les baignant dans le miel. Quand je parle d'elle, je m'enflamme un peu, c'est vrai, mais cette femme est ce que je voudrais devenir un jour. Elle est pour moi un modèle, à la fois de femme, de mère et d'épouse. Tantie est très belle, ses lèvres sont charnues, ses hanches larges et sa cambrure en ont fait rêver plus d'un au village à l'époque. Bien qu'assez rebondie, elle possède quelque chose de très naturel qui rend sa démarche aussi légère que celle de l'antilope. Un « je-ne-sais-quoi », comme dirait mon hôte français, qui ferait trembler les mannequins de trente kilos.

Avec son mari, Papa Demba, ils ont fait quatre beaux enfants qui se suivent et se ressemblent comme des poupées russes. L'aînée s'appelle Wandé, elle a huit ans. Aujourd'hui je suis venue l'aider à faire ses devoirs. Elle rêve de devenir chanteuse et se plaint qu'aucun toubab de sa classe ne veut être son amoureux parce qu'elle a de faux cheveux. Ensuite, il y a Issa et Moussa, les jumeaux. Ils sont trop malins ces deux-là, ils foutent les jetons parce qu'ils feraient avaler des couleuvres à n'importe qui. Quant au dernier, il ne sait que brailler pour l'instant, il a six mois à peine. C'est ma fierté, ce petit. C'est moi qui ai soufflé son nom de baptême à Tantie Mariatou alors qu'elle était en fin de grossesse et à court d'idées. J'ai choisi Amady parce que c'est le prénom du premier garçon que j'ai aimé. Je me souviens, j'étais folle de lui. Il m'entraînait toujours sur le tourniquet et poussait de toutes ses forces. Avec la vitesse, ma petite jupe plissée se soulevait sans résistance car mes mains étaient collées aux barres. J'avais bien trop peur de me casser la figure pour les en décrocher.

Le malin Amady usait régulièrement de ce petit stratagème pour assister au spectacle sous ma jupette. Je ne l'ai compris que longtemps après, car je devais avoir seulement cinq ans à l'époque.

D'ailleurs à propos de bébé Amady, alors que Tantie le promenait en poussette dans le grand parc, elle a été interceptée par la vieille gitane, celle que tout le monde croit folle. Et elle lui a dit que cet enfant deviendrait un jour un homme d'exception qui allait à jamais marquer l'Histoire, qu'il ferait quelque chose de très grand et que cela surprendrait tout le monde. Elle a dit que le bébé portait dans son ventre les promesses de tout un peuple.

Évidemment, Tantie Mariatou ne l'a pas prise au sérieux, comme la plupart des gens d'ici. Elle a même ri en y repensant alors qu'elle changeait la couche de son fils.

« Si toutes les promesses que ce petit porte dans

son ventre se transforment en merde, alors ce peuple-là est mal barré, non ? »

Cette vieille gitane, même si tout le monde dit qu'elle est folle et n'effraie que les enfants, moi, elle m'intrigue beaucoup. De temps en temps, il m'arrive de l'observer juste comme ça, à distance. Le matin, elle se promène seule, elle marche, les épaules recouvertes par un grand châle noir, et s'arrête parfois pour nourrir les oiseaux. Et sincèrement, au fond, là j'ai la frousse, surtout quand je la vois parler aux pigeons. Elle attrape l'un d'entre eux, toujours le plus gros. Ensuite, elle installe le volatile dans sa main, et c'est bizarre, parce qu'à chaque fois il reste docile, il ne cherche même pas à s'envoler. Alors elle se met à lui murmurer des choses. Au loin, on croirait que l'oiseau lui répond et qu'ils tapent la discussion ensemble, normal. Ça dure un certain temps et puis, tout à coup, elle pousse un cri aigu horrible et tous les oiseaux qu'elle avait invités au festin des miettes de pain s'envolent dans tous les sens. Ils décollent comme des fous. C'est l'anarchie dans le gris du ciel d'Ivry.

Quand tout se calme, que ça bat de l'aile un peu plus loin, on s'aperçoit de quelque chose de très étrange. La vieille est toujours là, debout, raide comme un bâton, et au creux de sa main, tout près de sa bouche, le gros pigeon est resté paisible. À la fin, en général, elle s'éloigne avec l'oiseau comme si de rien n'était, et progressivement, les pigeons mesquins attendent le départ de la vieille pour revenir un à un goûter au dessert.

Parfois j'imagine la suite, elle tord le cou de l'oiseau et le croque, elle enfonce ses canines comme une

20

louve affamée. Puis, elle finit par l'avaler tout cru, avec les plumes, la tête et le bec.

Cette vieille femme m'intrigue vraiment. Je ne saurais pas lui donner d'âge, ni d'époque d'ailleurs. Elle est comme en dehors du temps.

Je suis assise sur une chaise en bois au milieu du salon et j'attends avec impatience la fin de la quotidienne de *Star Academy* pour qu'enfin on se mette à bosser avec Wandé. Impossible de la décrocher du poste, elle est scotchée dessus comme un cafard sur une bande Baygon. Je crois que c'est parce qu'elle est amoureuse de l'un des candidats, le petit blond qui va en finale. Elle me fait penser à mon petit frère Foued quand il est devant la PlayStation sur son jeu de combat.

« Wandé ! Il est déjà 19 h 30, ma cocotte ! Je vais pas attendre toute la nuit pour tes devoirs.

— Mais c'est la finale.

— Après, moi je rentre chez moi, je te préviens. Soit t'éteins la télé maintenant, soit tu fais tes devoirs toute seule.

— Laisse, Ahlème ! Elle va avoir un zéro pointé.

— Maman, chut ! J'entends rien !

— Quoi ! À qui tu dis chut ? Enfant mal élevée !

— C'est parce qu'elle a rendez-vous avec son futur mari. Il va chanter », dis-je, pour taquiner Wandé.

Tantie Mariatou, furieuse, arrache la prise de la télé.

« Il y a des choses plus importantes que la télévision quand même ! Cette gamine serait prête à se pisser dessus pour ne pas rater une miette de son émission, c'est grave ! »

Wandé se vexe et prend cet air boudeur qui lui va si bien.

Depuis qu'elle a les nattes collées, ça lui fait une drôle de tronche quand elle boude. Son visage est tout tendu, tiré en arrière. Les nattes collées, c'est le lifting africain. Tantie Mariatou tire toujours trop fort, je le sais, il est arrivé qu'elle me coiffe aussi. Le résultat est bien joli mais, pour y parvenir, elle t'arrache le crâne comme de la moquette et ça peut durer des heures. Il faut serrer les dents, ça passe mieux. En même temps, elle sait ce qu'elle fait, c'est son métier et il ne faut jamais contrarier quelqu'un qui travaille, comme dirait le Patron. Il y a des clientes qui viennent de très loin pour que Tantie les coiffe car elle a la main ferme et connaît bien la mode, ce qui plaît, ce qui marche.

Dernièrement, elle s'est abonnée à un magazine américain sur la coiffure afro. Elle dit que les femmes noires en Amérique sont audacieuses avec leurs cheveux, elles sont capables d'essayer les choses les plus folles. Dans ce magazine, ils donnent des secrets de stars comme Mary J. Blige ou Alicia Keys par exemple.

Tantie est marrante quand elle parle de ça, elle s'emballe.

« Qu'est-ce que tu crois ? Cette fille-là, Beyoncé, celle qui se dandine dans les clips sur MTV, tu ne crois quand même pas qu'elle est née avec des cheveux blonds et lisses comme la soie ? La vérité, c'est qu'ils sont aussi crépus que les miens, ma chérie, sauf qu'elle, elle a les moyens de le faire oublier à tout le monde, c'est tout. »

Tantie Mariatou travaille quatre jours par semaine à Afro Star 2000, un salon à Paris, quartier Château-d'Eau. Parmi toutes les têtes qu'elle coiffe, des Ivoiriennes pour la plupart, beaucoup sont devenues de bonnes copines.

Tantie aime la coiffure et se passionne pour ça depuis longtemps. Son rêve secret, c'est d'aller s'installer là-bas, en Amérique, et d'y ouvrir un grand salon.

« Tant pis si je ne parle pas anglais, j'emploierai le langage du cheveu même. »

Son rêve d'Amérique remonte à l'enfance. Elle aussi avait alors le visage tiré en arrière par les tresses que sa maman lui faisait. Et tandis que tout le monde n'avait que Paris à la bouche, elle ne voyait que New York. Elle dit parfois que si par amour elle n'avait pas suivi son mari, Papa Demba, en France, elle serait certainement allée là-bas rejoindre je ne sais quel cousin lointain.

Lorsque Tantie Mariatou vivait au Sénégal, à Mbacké, quand l'heure du feuilleton américain arrivait, tout le voisinage se réunissait devant la petite télévision installée au milieu de la cour. C'était presque un rituel religieux. Lorsqu'il faisait grand soleil, quelqu'un se levait et plaçait une feuille de palmier au-dessus de l'écran.

Il arrivait parfois que l'image se brouille et même que le téléviseur épuisé n'affiche plus rien pendant une minute ou deux. Une éternité pour la petite fille qui en avait les larmes aux yeux et se mettait à maudire tout ce qu'elle pouvait jusqu'à ce qu'un spectateur se lève pour réparer le poste. Souvent, c'était son cousin Yahia, celui qui était surnommé Roméo au village parce qu'il faisait la cour à toutes les filles dans le dos de leurs parents. Il allait chercher une belle fourchette en inox qu'il plantait dans le cul de la télé capricieuse. D'ailleurs, en passant, la même fourchette avait servi quelques jours avant à calmer la crise de tétanie de la petite Aminata.

Toujours est-il que le système D fonctionnait très bien et que cela faisait assez rapidement son effet : l'image revenait en moins de temps qu'il n'en faut pour le dire et l'assemblée poussait un « aaah... » de soulagement. Mariatou s'arrangeait toujours pour s'installer au premier rang et ainsi avoir la meilleure place. La bouche grande ouverte, fascinée par ce qu'elle voyait, elle était si concentrée qu'elle ne prenait même plus la peine de chasser les mouches qui venaient se poser sur son visage ou qui chatouillaient ses pieds nus et secs.

Son cousin Yahia, alias Roméo, celui de la fourchette dans la télé, amusé par la fascination de la petite fille pour le grand pays au-delà de l'océan, la mena en bateau pour se jouer d'elle. Il lui raconta une histoire à laquelle elle crut dur comme fer : La Légende de l'arbre à dollars.

« Cette légende dit qu'il y a en Amérique des arbres extraordinaires. Ces arbres magiques produisent pour feuilles des billets, les dollars. Ceux-ci poussent en toutes circonstances, n'ayant pas besoin d'eau pour s'abreuver, et tout au long de l'année. Tout le monde a le droit de profiter de ces arbres là-bas, c'est la raison pour laquelle ce peuple ne connaît ni la faim ni la soif. »

Mariatou a rêvé de l'arbre à dollars matin et soir jusqu'à l'âge de raison.

24

*dégache*

Je pense qu'elle continue à y croire un peu et que nous y avons tous cru un jour. Le Patron, il était persuadé qu'en France, il suffisait de creuser le sol pour faire fortune. Quand il nous le raconte, ça me fait mal au cœur mais je souris quand même.

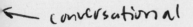 conversational

*dignified standing*

## Digne et debout

« Ça va, Papa ?

— Il fait froid ici. Tu sais, il me reste cinq cigarettes pour la soirée entière.

— C'est parce qu'ils ont coupé le chauffage, je te l'ai dit hier, ils vont le rétablir dans la semaine. Pour tes cigarettes, j'irai t'en chercher chez l'épicier, il ferme tard.

— Tu es sortie tout à l'heure ?

— Je suis dehors depuis ce matin.

— Ah bon. Je ne t'ai pas entendue partir.

— Au fait, Papa, tu es au courant pour Michel, le voisin du dessus ?

— Celui à qui il manque un bras ?

— Non, l'autre.

*tell off*

— L'autre qui ? Le maigre qui se fait toujours engueuler par sa femme, celle qui est moche comme tout ?

— Non, le gros avec les lunettes, même que son chien il est mort l'an dernier.

— Qu'est-ce qu'il a ?

— Il paraît qu'il a fait une tentative de suicide.

— Encore ?

— Oui, c'est la troisième... non, la quatrième, je crois.

26

— Déjà la quatrième ! Mon Dieu, ça passe vite... Et il est mort ?

— Non, il s'est encore raté, il est à l'hôpital.

— Tu vois, je te l'ai toujours dit que c'est un raté, ce bonhomme-là ! Incapable de se suicider ! Mourir, c'est quand même pas bien difficile.

— Oui, sûrement.

— Tu sais, il me reste juste cinq cigarettes pour...

— Oui, je sais, je descendrai t'en chercher. Où est Foued, Papa ?

— Il joue au ballon dehors avec des gamins.

— Bon, je vais le chercher, il devrait être à la maison à cette heure-ci, tu le sais bien, il est 22 h 30...

— 22 h 30 ? Il est tard, le tabac va fermer... »

Le Patron, il est toujours comme ça, mais en ce moment, j'ai l'impression que c'est pire. C'est depuis l'accident, ça fera trois ans le mois prochain. Trois ans, c'est pas grand-chose, mais à le voir dans cet état, en train de dire des phrases qui n'ont pas de sens, assis toute la journée dans son fauteuil, en pyjama, on pourrait croire que c'est depuis toujours. Alors il passe tout son temps devant la télé qui est devenue un membre de la famille à part entière. C'est elle qui régit la nouvelle vie du Patron, il n'a plus besoin de montre. *Télé Matin*, c'est l'heure du café, les infos, c'est l'heure du déjeuner, *Derrick*, c'est l'heure de la sieste, et le générique final du film du soir, c'est le moment où il va se coucher. Il s'endort, et le lendemain, le même rituel recommence. Depuis qu'il est à côté de la plaque, il vit une journée éternelle.

Je me souviens, c'est arrivé très tôt le matin, il travaillait sur le chantier et il tenait en équilibre là-haut, comme il a tenu toute sa vie en équilibre.

Seulement ce jour-là, il manquait un casque. Papa a donné le sien à Fernandes – celui qui ne picole pas – parce qu'il se baladait sous les poutres et Papa estimait que c'était dangereux. Comme je le connais, le Patron a dû se dire : « Moi je suis là-haut, je ne risque pas que quelque chose me tombe sur la tête sauf la foudre peut-être. »

Personne ne sait vraiment pourquoi mais il est tombé de cette putain de poutrelle. Tous les gars ont cru qu'il y serait resté parce que la chute était impressionnante. La vérité, c'est que le corps n'avait rien de bien méchant, deux ou trois côtes cassées et une entorse ridicule à la cheville.

Seulement, en basculant, la tête a heurté la solive et à cause du choc, maintenant, ça ne tourne plus rond.

Comme il ne portait pas de casque, le chef a refusé de payer les indemnités. Alors il y a eu d'abord le syndicat des ouvriers et puis la justice, l'avocat, le procès. Heureusement, on a eu gain de cause à la fin. Invalidité reconnue, incapacité à travailler. Donc il touche une pension et il a même une carte de transport gratuite.

Mais je me rappelle qu'avec l'avocat, nous avons bien bataillé en agitant des papiers dans tous les sens, les attestations des médecins, les déclarations des uns et des autres.

C'est vrai que c'était dur au début mais après on s'y est faits.

Dans les premiers mois qui ont suivi l'accident, il y a eu des matins où Papa se réveillait à 4 heures, en pleine semaine, comme d'habitude, faisait ses ablutions, priait, préparait sa gamelle et s'apprêtait à sortir. D'ailleurs je crois qu'il ne faisait pas toutes ces choses dans un ordre logique. Lorsque je me rendais compte qu'il était debout, je devais me lever et lui expliquer qu'il n'allait pas travailler et ça me faisait mal au cœur parce qu'il me répondait, confus : « Oui, c'est vrai, tu as raison, j'avais oublié, on est dimanche. »

Foued n'aime pas tellement que j'aille le chercher quand il est dehors avec ses copains, il dit que je lui mets la honte parce que Monsieur est un grand, vous comprenez. En général, j'évite, c'est vrai, mais là, je l'ai averti et je constate qu'il se fiche pas mal de respecter les règles que je fixe à la maison. Après tout, c'est un gamin, il n'a que quinze ans. Il se lève tôt pour aller à l'école demain matin, et il n'a rien à faire dehors à cette heure-ci.

Il est sûrement à l'autre bout de la cité, au stade Pierre-de-Coubertin. En passant j'ai remarqué que la plupart des terrains de sport portent le nom de Pierre de Coubertin. Quel manque d'originalité ! Moi, je propose qu'un jour, on rebaptise notre stade Ladji-Doucouré.

Bref, ce stade se trouve au pied de ce qu'on appelle ici « la Colline », une sorte de grande butte qui surplombe tout le quartier. Je me poste à cet endroit stratégique et là, une vue extraordinaire m'est offerte. Des lumières me parviennent de tous les côtés et je trouve ça beau.

Je suis entourée par tous ces immeubles aux aspects loufoques qui renferment nos bruits et nos odeurs, notre vie d'ici. Je me tiens là, seule, au milieu de leur architecture excentrique, de leurs couleurs criardes, de leurs formes inconscientes qui ont si longtemps bercé nos illusions. Il est révolu le temps où l'eau courante et l'électricité suffisaient à camoufler les injustices, ils sont loin maintenant les bidonvilles. Je suis digne et debout et je pense à tout un tas de choses. Les événements qu'il y a eu par chez nous ces dernières semaines ont agité la presse du monde entier et après quelques affrontements jeunes-police, tout s'est calmé à nouveau. Mais qu'est-ce que nos trois carcasses de caisses calcinées peuvent changer quand une armée de forcenés cherchent à nous faire taire ?

Le seul couvre-feu valable est celui que moi, citoyenne non française, j'impose ce soir à mon petit frère de quinze ans.

Je vois Foued en bas, en plein milieu du stade, en train de s'agiter, avec agilité, il faut bien le reconnaître. Il joue avec une dizaine d'autres garçons du voisinage, à peu près du même âge. Pour la plupart, je les connais, j'en ai vu grandir certains. Je remarque qu'il y a même les deux frères Villovitch. Ça faisait bien une éternité que je n'avais pas croisé ces deux filous. Ils m'évitent depuis notre dernière rencontre. Ils avaient alors eu tellement honte qu'ils se seraient volontiers dissipés comme le brouillard s'ils avaient pu.

Ce soir-là, j'étais descendue à la cave pour y attacher le vélo de Foued. J'ai ouvert la porte blindée qui bloque un peu en poussant avec la roue avant, et c'est là que j'ai surpris les deux coquins. Ils étaient installés sur ce vieux canapé deux places mis en retraite dans la cave depuis des années, et comme ils me tournaient le dos, ils ne se sont pas aperçus tout de suite de mon intrusion dans leur intimité.

Face à moi, je découvris le dispositif ingénieux qu'ils avaient élaboré. Grâce à la prise piratée, ils avaient installé un petit téléviseur, posé sur une caisse retournée, et au-dessus une console de jeux leur servait de lecteur DVD. La scène était comique, je voyais seulement ce qui dépassait du canapé, c'est-à-dire leur petite nuque moite et leur bras droit s'agitant nerveusement. *sweaty*

Au cœur de toute cette mise en scène, se jouait un épisode officieux des Jeux olympiques. Dans la télé, une plantureuse blondasse effectuait une périlleuse performance de gymnastique rythmique, soutenue d'un peu trop près par des types aux barres symétriques. La cave s'était transformée en salle de projection cinéma-trash-blondasse.

*Ô Puberté j'écris ton nom.*
*Sur le Béton, j'écris ton nom.*

À ce moment fatidique, je décide de ne pas rire. Je ne voudrais pas prendre le risque de castrer ces virils bouts d'hommes et endosser la responsabilité de leurs troubles futurs. Puis vient l'inévitable « hum hum » – il fallait bien interrompre ce sketch, je devais ranger le vélo.

L'expression de leur visage, je ne l'oublierai jamais. Ils étaient pris la main dans le sac, sans vouloir faire de mauvais jeux de mots. J'ai attaché mon engin en me faisant violence pour garder mon sérieux, retenant avec douleur cette irrésistible envie de rire qui me tenaillait.

Les vilains n'osaient plus tourner la tête dans ma

direction, ils rangeaient leur matos, fiévreux de honte. J'ai quitté la caverne d'Ali Baba et les quarante branleurs, laissant les deux renards avec leurs remords pour enfin permettre à mon fou rire de prendre l'air dans l'ascenseur. J'ai même failli redescendre pour les remercier, cela faisait bien longtemps que je n'avais pas ri de si bon cœur. Voilà pourquoi ils m'esquivaient ces deux petits dégueulasses.

Je fais mon entrée sur la pelouse et déjà mon Zizou en herbe me foudroie du regard. Il veut ma peau d'être venue sur son territoire.

Et le respect des aînés ? Je vais le ramener à la maison par l'élastique du slip s'il le faut. Pour qui il se prend ? Je l'ai élevé, cet enfant, si lui a la mémoire courte, moi je me rappelle très bien. Il me doit obéissance. Ce n'est pas parce qu'il a résilié son contrat chez Pampers qu'il doit me mettre à l'amende. C'est la meilleure celle-là !

« Foued ! Tu rentres tout de suite !

— Un dernier petit tournoi et j'arrive. Rentre, c'est bon.

— Discute pas ! On y va, j'ai dit.

— C'est bon là ! Tu me saoules ! Je rentre après !

— Tu la fermes ! Comment tu me parles ! Tu veux jouer au grand devant tes potes, eh ben, c'est raté, mon vieux. Amène-toi ! »

Il interrompt son jeu de jambes, ultra-vexé, et reste immobile. Soudain c'est silence dans le groupe. On est à environ vingt mètres l'un de l'autre, on se tient droit tous les deux, et là, commence une grande baston de regards. On aurait dit un western, le genre *Cette ville est trop petite pour nous deux.*

À mon grand étonnement, à ce moment critique du film, l'un des frères Villovitch a le toupet de prendre la parole.

« Laisse-lui une dernière partie, s'il te plaît, ça se fait pas !

— Toi, le branleur, on t'a rien demandé, à ce que je sache. C'est pas à toi de me dire ce qui se fait ou pas... »

Minigland baisse la tête, humilié. J'avoue, j'y suis allée un peu fort. En même temps les sales mômes voulaient prendre le pouvoir. J'ai été victime d'un coup d'État, il fallait être ferme.

Foued me suit sans rien dire, il est même trop honteux pour saluer ses potes. Si, à cet instant précis, il avait un fusil à la place des yeux, je parie qu'il m'aurait déjà tiré une balle dans le dos. Je n'ai même pas besoin de parler, je sais qu'il sait. Papa ne doit jamais être seul à la maison, c'est la règle numéro un. Parfois, j'ai l'impression d'être née pour m'occuper des autres. Foued est jeune, il n'est pas responsable de tout ça, mais il faut qu'il comprenne qu'il ne peut pas faire ce qu'il veut. Il est à l'âge où l'on commence à bâtir – pas sur les chantiers, comme a fait le Patron toute sa vie pour gagner deux francs six sous et rentrer à la maison sale et épuisé, les mains ruinées et le dos brisé par l'effort. Je serais ravie de lire un peu de motivation sur son visage lorsqu'il se décide à faire ses devoirs. Ce pisseur n'en fout pas une.

# Le chat à neuf vies

Dorénavant, j'y réfléchirai à deux fois avant d'employer l'expression : « Ça ne vaut pas un clou. » Aujourd'hui, mieux que personne, je connais la valeur exacte du clou, ce petit objet sans importance au premier abord mais qui est en réalité la source de toute chose. On n'y pense jamais assez.

La veille de mon inventaire, j'ai reçu un coup de fil de cette chère Johanna, l'employée de mon agence d'intérim. C'est déjà un exploit de comprendre ce qu'elle raconte en l'ayant face à soi, mais alors au téléphone, c'est carrément un miracle. On aurait presque envie de lui offrir des séances d'orthophonie pour son anniversaire.

Elle m'a donc appelée afin de me donner les instructions à suivre pour la mission « inventaire ».

« Être volontaire, motivé, montrer au supérieur que l'on mesure la chance d'avoir été engagé, porter avec conviction l'enseigne de l'agence d'intérim. »

Bien sûr qu'ils n'envoient pas n'importe qui à leurs entreprises partenaires ! Surtout pour passer une soirée à compter des clous dans un magasin vide.

Je suis arrivée au Leroy Merlin très en avance – je fais toujours comme ça pour être sûre. La ponctualité chez moi, c'est une maladie. Je n'aime pas les gens

34

qui arrivent en retard, surtout ceux qui ne trouvent pas ça bien grave. Quand on me fait attendre longtemps, je me tire et c'est tout. Le Patron dit souvent : « Si tu attends quelqu'un une fois, tu vas l'attendre toute ta vie. »

Sur place, il fallait s'adresser à une certaine Sonia, une femme maigre et sèche d'une trentaine d'années.

Lorsque tous les équipiers furent enfin au point de rendez-vous, elle s'est chargée de nous expliquer le déroulement de notre folle soirée.

Une pause pipi *ou* cigarette d'une durée maximum de dix minutes, donc impossible de fumer *et* de pisser, fallait choisir, sauf à faire les deux en même temps. Ensuite, interdiction formelle de sortir du magasin avec son sac ou sa veste pendant l'inventaire. De quoi ils avaient peur ? Que quelqu'un subtilise discrètement un lavabo ?

Bref, tous les gens avaient pour la plupart la vingtaine, la majorité étaient étudiants et c'était un groupe composé surtout de garçons.

Sonia nous a placés par binômes dans chacun des rayons.

Avec la veine que j'ai, je suis tombée sur un rayon outillage avec un petit type qui s'appelle Raphaël Vignon et qui n'a pas décroché un mot de toute la soirée. Génial ! Me voilà coincée dans ce festival de clous, de vis et de boulons avec un mec atteint de constipation verbale. Parfois, je sentais son regard inquiétant sur moi, alors je continuais à compter mes clous comme si de rien n'était, mais en fait j'avais un peu les chocottes – les magasins vides, c'est comme les parkings souterrains, ça inspire des scènes de meurtre. À certains moments de la soirée, j'arrivais presque à occulter sa présence, mais il fallait qu'à ce moment-là précisément, il se mette à siffloter, toussoter ou quelque chose du genre.

Quelle vie ! J'aurais pu tomber sur un autre équipier, le grand brun du fond par exemple, celui qui était mignon et bien fait et que j'ai vu me lancer des petits regards intéressés. Eh bien non, il a fallu qu'on m'impose ce Vignon, avec son air d'assassin d'animaux domestiques. C'est comme d'hab de toute façon, je ne sais même pas pourquoi ça m'étonne encore d'être dans ce genre de situations. C'est ma destinée, je devrais m'y habituer.

J'ai mal au dos et aux jambes, en plus. À force d'être restée collée à l'escabeau, j'ai de vilaines traces sur chacun des genoux, et tout ça pour une rémunération de soixante-cinq euros. Avec cette fortune, je fais seulement deux fois le marché.

Je crois avoir tapé dans tous les petits boulots les plus stupides qu'on puisse imaginer. À part peut-être père Noël devant les Galeries Lafayette.

J'ai été animatrice pour jeunes enfants en camps de vacances. Les pipis culotte, les lacets défaits, les crottes de nez, les caprices et les crises de larmes, je connais. Payée des clopinettes bien sûr.

J'ai distribué des ballons en forme de cœur le jour de la Saint-Valentin au centre commercial de Thiais. J'ai croisé les couples les plus amoureux du Val-de-Marne ce jour-là, et je me souviens, ça m'a marquée parce que je m'étais fait plaquer la veille.

Ensuite, il y eut la vague de petits boulots dans la restauration, McDo, Quick, Paul, KFC. Je me rappelle avoir pris au moins cinq kilos, que j'ai aussitôt reperdus lorsque j'étais serveuse à La Foire des fous, le bar qui rend fou.

J'ai même fait de la téléphonie rose. Ça payait bien,

je portais le charmant pseudonyme de Samantha. J'ai craqué assez vite parce que c'était trop glauque. J'ai dit stop le soir où un type, qui appelait très régulièrement, m'a suppliée de lui imiter la poule.

J'ai aussi vendu au porte-à-porte des forfaits téléphoniques. Je ne compte plus les fois où on m'a claqué la porte au nez en criant : « Je ne crois pas en Dieu, ça m'intéresse pas ! »

Avant, j'avais travaillé dans une société de téléprospection pour vendre des caméras de surveillance. On piochait nos numéros essentiellement dans les bottins des 16e, 8e, et 7e arrondissements. Tous les matins, un mec, que les employés surnommaient Cocaïne, venait nous briefer dans le bureau. Il essayait de nous mettre des disquettes dans le crâne, genre : « Vous êtes des winners, on y croit ! La journée sera bonne ! » Et bien sûr il n'oubliait jamais de glisser que celui qui vendrait le plus aurait droit à une prime représentant la moitié du salaire. J'ai été virée au bout d'une semaine parce que je n'avais obtenu aucun contrat. C'était trop dur, j'avais l'impression de bosser pour le compte du ministère de l'Intérieur. Ce n'est pas faux, ça facilite le travail de la police ce qu'on faisait. En tout cas, c'est la seule fois de ma vie où j'ai été ravie d'être licenciée.

Mon dernier job en date a été un remplacement chez Pizza Hut. Encore aujourd'hui, cette phrase résonne dans ma tête comme un écho machiavélique : « Merci d'avoir choisi Pizza Hut, au revoir et à bientôt. »

Évidemment que j'aspire à mieux, mais il faut bien vivre. Les gens qui remplissent leur frigidaire en faisant ce qu'ils aiment ont bien de la chance. Si c'était mon cas, je rendrais grâce au bon Dieu bien plus de cinq fois par jour, ça mériterait au moins ça.

Parfois, il m'arrive d'écrire des choses dans un petit carnet à spirale que j'ai chouré au Leclerc de l'avenue. Dedans, je raconte un peu ce que je vis, ce qui me met de bonne humeur ou ce qui me fait péter un boulard. Je me dis que si un jour je deviens ouf comme mon père, au moins mon histoire sera inscrite quelque part, mes enfants pourront lire que j'ai rêvé. Je suis un peu comme un chat, c'est comme si j'avais eu plusieurs vies déjà. J'ai vingt-quatre ans et le sentiment d'en avoir quarante.

# On a besoin de ses deux mains
## pour applaudir

Il est tard maintenant et je viens de rentrer. Ils dorment sans doute comme de gros bébés, j'ai entendu les ronflements du Patron depuis le hall d'entrée. Me voilà donc face à une situation que je n'aime pas : ouvrir la porte sans faire de bruit, ce qui n'est vraiment pas évident avec le type de clés que nous avons, les clés « sans soucis », c'est marqué dessus. Elles sont ÉNORMES, trente centimètres de long, huit de largeur pour un poids de quatorze kilos, elles ressemblent aux clés des cachots du temps de l'Empire romain. Bien sûr que j'exagère mais ça donne à peu près l'idée. Ensuite, je me déshabille dans le noir pour ne réveiller personne et je me glisse sous ma couette froide. Là, si je dors tout de suite, c'est bien.

À vrai dire je sors tout juste d'un guet-apens. Mes chères et imprévisibles copines, Linda et Nawel, m'ont proposé un cinéma ce soir. Je savais que leurs mecs seraient de la partie mais je n'imaginais pas qu'elles avaient un plan B, et que le plan B c'était un plan « rancard arrangé ». Vous savez, l'ami de l'ami de l'amie. Le type en question, un certain Hakim, était donc censé me servir de cavalier ce soir. En voyant arriver les filles tout à l'heure, je me doutais qu'il se préparait un truc, je trouvais que ça sentait le roussi. D'habitude ce genre de galères, je les vois venir à l'œil nu, j'aurais dû capter qu'elles m'arrangeaient dans le dos une soirée *La croisière s'amuse*. Lorsque j'ai vu l'individu à casquette sortir de sa voiture pour nous rejoindre, j'ai tout compris et j'ai failli faire demi-tour parce que je n'aime pas trop les surprises. Puis, voyant que, de façade, le jeune homme avait quelques arguments, je suis restée. Malheureusement, comme d'habitude, les tonneaux de cet acabit sonnent creux.

J'ai eu le privilège de choisir le film, au grand désespoir du reste du groupe puisque j'ai opté pour un film d'auteur, belge, d'une durée de deux heures (qui par ailleurs s'est avéré excellent). Pendant toute la séance, j'ai eu droit à des commentaires d'une intense connerie de la part de cette arnaque d'Hakim, j'étais prête à l'étouffer pour qu'il se taise. Je voyais bien que le film n'intéressait que moi et les deux vieilles au fond (si vous êtes bon en calcul mental, vous constaterez donc que nous n'étions que huit dans la salle obscure), mais au moins les autres s'occupaient. Ils jouaient au jeu de « l'exploration buccale », activité ludique qui développe à la fois le goût, le toucher, l'ouïe et éventuellement l'odorat.

Bizarrement, en sortant du cinéma, tout le monde avait très faim, donc nous sommes allés manger un morceau, et cette fois-ci, c'est drôle, on ne m'a pas proposé le choix du lieu. Mouss, le copain de Nawel, qui est un garçon de bon goût, a eu la super-idée de nous emmener dans un restaurant branché, près de Montparnasse, déco années 70, La Navette spatiale. Tout était parfait, mais les manières d'Hakim l'Arnaque contrastaient tellement avec la classe de l'endroit... qu'un seul mot me vient à l'esprit et ce mot, c'est : « dommage ».

Le temps fort de la soirée a eu lieu au moment de passer la commande. Bien sûr, Hakim s'en est chargé. Il a appelé le serveur, un grand blond mince et distingué qui se tenait bien droit comme on lui a appris à l'école de restauration-hôtellerie.

« Hé ! Hé ! Chef ! Viens voir s'te plaît ! Tu peux prendre la commande s'te plaît cousin ? »

On se serait cru à la poissonnerie du marché couvert. Dans un autre contexte, j'aurais certainement ri, mais là, j'aurais voulu me cacher. À cet instant précis, si on me l'avait proposé, j'étais OK pour la burka. J'ai avalé mon plat comme un jour de deuil puis j'ai prétexté une migraine-surprise pour qu'on me dépose à la maison. Alors, je suis passée boire le café avec Tantie Mariatou à qui j'ai raconté le déroulement de cette folle soirée, et au lieu de compatir, elle a gloussé comme une dinde tout au long de mon récit. Puis elle a conclu par une de ses phrases magiques qui ont l'art de dénouer les situations les plus critiques et de détendre les atmosphères les plus chargées.

« L'homme est un chacal mais quelle femme peut se passer de lui ? On a besoin des deux mains pour applaudir... »

Le mari de Tantie, Papa Demba, la regarde encore avec des yeux remplis d'admiration et d'amour, c'est quelqu'un d'adorable, de solide et de doux, l'époux idéal. Leur histoire, telle qu'il me l'a rapportée, est assez extraordinaire. Parmi toutes les jeunes filles du village, c'est elle qu'il a remarquée. Un matin, alors qu'il passait en charrette, il l'a vue qui traversait un champ. L'image de ce jour ne l'a jamais quitté – je pense qu'il faisait subtilement allusion à ce postérieur inoubliable –, et depuis, il s'est juré qu'elle serait sa promise. Il appartenait à la caste des forgerons et elle venait d'une caste noble, l'union était donc impossible mais la force et la détermination de Papa Demba ont eu raison de tout le reste.

J'adore que Tantie me raconte ses histoires de couple, elles sont à pisser de rire. Elle dit toujours que c'est la femme qui fait la réussite du couple et que l'homme en fait son échec. C'est peut-être un peu extrême mais ça lui ressemble. Elle dit aussi que l'amour c'est comme les cheveux, ça s'entretient.

Depuis que j'ai treize ou quatorze ans, c'est à elle que je confie toutes mes histoires. C'est une femme de très bon conseil. Elle m'a toujours consolée quand j'avais des peines de cœur, encouragée à prendre confiance en moi et poussée à devenir plus féminine, ce qui n'était pas une mince affaire car j'étais un vrai petit mec. Tantie a en horreur tous mes sweats larges, baggies et autres joggings, alors quand j'ai le malheur de porter une casquette, n'en parlons même pas, je l'exaspère. Elle m'a fait découvrir les magasins de filles, les chaussures à talons et le maquillage. J'ai mis du temps à adhérer.

À seize ou dix-sept ans, quand des garçons ont commencé à s'intéresser à moi parce que je ressemblais enfin à une jeune femme et moins à un loubard, je croyais qu'ils n'étaient pas sincères, qu'ils se moquaient de moi. Tantie se montrait alors rassurante, elle me disait : « Tu es très jolie et très maligne, laisse les garçons baver devant toi. Regarde un peu les autres filles et tu verras bien ce que tu vaux. Comme on dit : il faut guetter les assiettes vides pour apprécier son dîner. »

Je devais avoir dix ou onze ans lorsque j'ai perdu Maman et que j'ai quitté l'Algérie avec Foued dans les bras. Là-bas, c'était tout le contraire, je ne voyais jamais d'hommes. J'étais collée aux jupons de ma mère, et des autres femmes du village aussi, qui étaient solidaires et responsables de l'éducation de tous les enfants. Je pouvais prendre quinze claques pour une seule et même bêtise. Je vivais parmi toutes ces femmes qui passaient leur vie à se cacher des hommes. Il m'arrivait de trier des perles et des rubans des journées entières pour Maman qui était la couturière du village. Je restais enfermée dans la baraque. Heureusement il y avait l'école, où je pouvais parler aux autres enfants, et le jardinet qui se trouvait à l'arrière de la maison. Je passais mon temps libre au pied de notre petit oranger et je regardais la rue à travers le grillage en inventant des histoires sur les passants. Par exemple, cela m'amusait beaucoup de reconnaître, sous leur djellaba, les grosses femmes que j'avais vues au hammam la veille. Il arrivait que j'aperçoive celle qui avait eu le malheur de me frotter le dos avec cet horrible gant de crin qui m'esquintait la peau, alors je prenais un malin plaisir à lui jeter quelques cailloux.

Arrivée à Ivry, avec le Patron, ça a été le choc de la grande liberté, l'air frais. Il me laissait toujours m'amuser dehors seule et souvent il m'emmenait au bar-PMU. Je me rappelle, pendant qu'il remplissait ses tickets du tiercé, il m'offrait quelques parties de flipper. Après, si je gagnais, j'avais droit à une grande tasse de chocolat chaud. D'ailleurs si je perdais, j'y avais droit quand même. C'est pour ça qu'aujourd'hui je suis imbattable. Dans la cité, je jouais au ballon avec les bonshommes et, comme eux, je tirais les cheveux des filles et leur piquais leur corde à sauter pour les fouetter avec. Je suis passée sans escale d'un univers exclusivement féminin au monde des hommes.

Au début de l'adolescence, tout s'est compliqué, parce que j'étais précoce.

J'avais tellement honte de ma poitrine que je la cachais sous de gigantesques pulls dix fois trop grands pour moi, d'autant plus que j'étais la seule de la classe à être déjà équipée. Les autres filles, qui étaient d'une extrême platitude à tous les niveaux, m'enviaient. Si elles savaient qu'alors je m'écrasais le matériel pour que ça paraisse moins gros...

Mon premier vrai traumatisme a eu lieu la première-fois que j'ai saigné. J'étais persuadée qu'il ne me restait plus longtemps à vivre. Je me rappelle avoir écrit des lettres d'adieu, avoir envisagé des choses terribles, de celles que l'on envisage seulement au crépuscule de sa vie, telles qu'avouer à Elie Allouche que j'avais le béguin pour lui. Elie Chelou, comme on l'appelait, toutes les filles le prenaient pour un plouc au collège mais moi, je le trouvais attachant. Certaine que mes saignements étaient symptomatiques de mon imminente mort, j'ai aussi failli faire la grave connerie de céder toutes mes cassettes de « Boyz II Men » à Bouchra, une intello de la classe que je rackettais et que je menaçais pour qu'elle fasse mes devoirs à ma place. J'étais perdue dans tout ça.

Heureusement Tantie Mariatou a été là pour me guider dans tous ces moments, elle a fait beaucoup pour mon frère et moi en essayant de combler comme elle pouvait l'absence de notre mère.

Je sais que vers quatorze, quinze ans, c'est « période critique » – c'est aussi pour ça que je m'efforce d'être derrière Foued au maximum. Je me souviens qu'à une époque, j'étais une vraie calamité. Je passais mon temps dehors à me bagarrer comme une chiffonnière. Quand les voisins le répétaient à Papa, il me passait de gros savons de Marseille, mais rien à faire, je recommençais la semaine suivante.

J'étais dure et, en plus, je me battais comme un homme. Je ne griffais pas, je ne giflais pas mais je mettais des coups : de poing, de pompe, de genou et de tête éventuellement.

En Algérie, j'ai fait tout le début de ma scolarité dans une petite école communale où les filles et les garçons n'avaient même pas le droit de s'asseoir côte à côte. Nous avions un profond respect pour l'école et nous faisions toujours preuve d'une grande déférence envers notre professeur. Par exemple, en classe, lorsqu'il posait une question, il était de rigueur que l'élève interrogé se lève pour y répondre. Aussi, si l'un de nous était pris en train de tricher ou de bavarder, il était immédiatement corrigé avec une cruelle petite règle en métal ; la douleur devenait collective tellement le bruit était horrible.

Ma mère et mes tantes disaient souvent qu'un professeur était comme un second père et que c'était légitime qu'il me corrige ; elles ajoutaient qu'elles devraient même me corriger une nouvelle fois pour lui donner raison. Un second père, ça peut paraître étrange. Déjà que je connaissais à peine le premier. C'était ce monsieur qui vivait en France pour y travailler, nous envoyait de l'argent pour que l'on mange bien et que l'on ait de belles robes le jour de l'Aïd-el-Kébir. Je le voyais deux semaines par an pendant ses vacances. Il ne parlait pas beaucoup mais il me donnait tout le temps des billets de cent dinars pour que je m'achète de jolies choses. Je lui posais continuellement des questions. Souvent je lui demandais comment c'était dans les airs, comment l'avion pouvait tenir là-haut... Il ne me donnait pas d'explications scientifiques et me répondait toujours quelque chose de loufoque, ça, je m'en souviens...

Quand je suis arrivée sur cette terre de froid et de mépris, j'étais une petite fille enthousiaste et polie, et en moins de temps qu'il n'en faut pour le dire, je suis devenue une vraie teigne. J'ai vite laissé tomber mes bons vieux réflexes, le truc de se lever pour s'adresser au professeur par exemple. Les premières fois que je l'ai fait ici, les autres élèves ont éclaté de rire. Je suis devenue toute rouge et eux disaient tous en chœur : « Lèche-cul du prof ! »

J'ai très vite compris qu'il fallait que je m'impose et c'est ce que j'ai fait. Depuis, j'ai pas mal progressé. Comme dirait l'autre, je suis devenue un parfait modèle d'intégration.

Presque française. Il ne manque à la panoplie que ce stupide bout de papier bleu ciel plastifié et tamponné avec amour et bon goût, la fameuse french touch. Cette petite chose me donnerait droit à tout et me dispenserait de me lever à 3 heures du matin chaque trimestre pour aller faire la queue devant la préfecture, dans le froid, pour obtenir un énième renouvellement de séjour.

D'un autre côté, on peut rencontrer des gens intéressants dans ces longues files d'attente. La dernière fois, j'ai discuté avec un type de je ne sais plus quel pays de l'Est. Tonislav, il s'appelle. Il m'a proposé des jeans Diesel qu'il avait en bizness pour la moitié du prix en magasin. On a passé un peu le temps en faisant la queue ensemble, et plus je le regardais, plus je le trouvais mignon dans son vieux Perfecto... Mais bon, ce serait con, tant qu'à fricoter avec un mec, autant qu'il ait ses papiers. J'en ai marre d'être une étrangère.

Il y a aussi deux gars que je vois souvent, deux Turcs d'Izmir, des frères. Un jour où tout le monde attendait sous une pluie battante, l'un des deux m'a gentiment prêté son parapluie – ça m'a beaucoup touchée qu'il se mouille pour moi. Depuis, lorsqu'on se croise, on discute et ils me proposent toujours de venir manger dans le kebab où ils bossent. « Gratuit. Pas problèmes. Grec, brochettes. » J'irai sûrement un de ces quatre, je vois où il est situé, juste en face de la gare, Le Soleil de Bodrum, ça s'appelle, comme les trois quarts des kebabs de France, d'ailleurs...

J'ai fait quelques rencontres sympathiques, mais on ne peut pas dire que tous les jours c'est la grosse ambiance devant la préfecture. En général, des flics nous gèrent comme si nous étions des animaux. Les connasses, derrière cette putain de vitre qui les maintient loin de nos réalités, nous parlent comme à des demeurés, bien souvent sans même nous regarder dans les yeux.

Dernièrement, un vieil homme, un Malien je crois, a laissé passer son tour parce qu'il n'a pas reconnu son nom. La bonne femme l'a appelé, M. Wakeri, une fois, deux fois, puis trois fois avant qu'elle ne passe sans scrupule à la personne suivante. Lui était là depuis l'aube à attendre, et son nom, c'était M. Bakari, c'est pour ça qu'il ne s'était pas levé. Une personne lui a dit en bambara qu'on l'avait certainement déjà appelé ; elle a essayé de négocier son passage au guichet car lui-même parlait très peu le français, mais c'était trop tard. Il fallait qu'il se représente le lendemain matin.

Je me rappelle un jour où j'ai carrément craqué. J'étais extrêmement fatiguée. J'avais fini le boulot au bar à 1 heure du matin, et les clients avaient été particulièrement chiants ce soir-là. Aussi je me sentais sur les nerfs. À 4 heures, j'étais déjà en train de faire la queue dans un froid sans pitié et à 13 heures seulement s'affichait mon numéro. J'ai donc très mal supporté le mépris que cette vieille catin du guichet m'envoyait à la figure. Heureusement pour elle, j'avais perdu l'impulsivité de mes quatorze ans, sinon elle serait morte, noyée dans sa salive. J'ai juste gueulé comme une pauvre conne, pour rien car il a suffi qu'elle fasse un geste pour que les uniformes arrivent et me jettent dehors.

Lorsque la température est redescendue, je me suis trouvée bien bête. Je n'avais même pas réglé mes histoires de papelards au bout du compte. Résultat, je suis revenue le lendemain matin, vaincue, les yeux au sol et, chanceuse comme je suis, je suis tombée sur la même employée que la veille. Manifestement, elle ne se souvenait pas de moi.

Depuis la circulaire du mois de février 2006 et son objectif de vingt-cinq mille expulsions dans l'année, il y a comme une odeur de gaz dans les files d'attente devant la préfecture. S'entendent des échos inquiétants de guet-apens comme en temps de guerre, telle cette histoire flippante qu'une femme racontait près des guichets. Son cousin avait reçu une convocation à la préfecture. Il était très content, car il attendait ça depuis des mois. Il croyait régulariser enfin sa situation mais c'était un piège. On l'a emmené au centre de rétention et maintenant, il se retrouve à Bamako.

Il n'a même pas eu le temps de dire au revoir à ses proches et de prendre toutes ses affaires. Depuis que j'entends parler de ça, quand je suis assise sur une des chaises dures et inconfortables de la préfecture, j'imagine des hommes à petites moustaches dans des bureaux qui n'ont qu'à appuyer sur un bouton pour que cela devienne un siège éjectable et que je me retrouve au village.

# L'arc-en-ciel après les semaines de pluie

Aujourd'hui, c'est l'anniversaire du Patron. Pour l'occasion, j'ai fait de la kerentita, une recette que je tiens de ma grand-mère Mimouna – elle me l'a apprise quand je vivais en Algérie. Ce gâteau, à base de farine de pois chiches, est une spécialité de l'ouest du pays. Je me rappelle encore quand, le matin de bonne heure, le vendeur ambulant faisait le tour du pâté de maisons sur sa vieille bicyclette et criait : « Elle est là, elle est arrivée, la kerentita ! » Alors les cousines et moi, pour lui acheter quelques parts, on sortait de la baraque en courant, pieds nus, vêtues de simples gandouras[1], et on se foutait de tout. Notre oncle Khaled devenait fou : « Rentrez vite, bande de folles ! Vous voulez vous faire voir ? Les hommes vont vous regarder, la honte ! Rentrez ! »

Ça nous faisait marrer, mais si on traînait trop, il ne fallait plus rigoler parce qu'il nous envoyait sa légendaire sandale en plastique. Je n'ai toujours pas compris quelle était sa technique mais il ne ratait jamais sa cible. Peu importe d'où il la lançait, elle faisait des tours et des détours et finissait par atterrir exactement là où il fallait. Dans le dos en général. Trop doué, l'oncle Khaled ! Après plusieurs années

---

1. Robes légères qu'on porte dans la maison.

d'expérience, il était champion d'Afrique du lancer de sandale en plastique.

« Quel âge j'ai alors ?

— Soixante et un ans, Papa.

— Ouh là là, non, non, il faut pas fêter ça !

— Et pourquoi non ?

— C'est une fête de fous, une fête de Blancs qui s'applaudissent parce qu'ils font un pas de plus vers la tombe...

— Mais non, il faut pas dire ça, c'est une occasion de faire la fête tous les trois. »

Je lui ai donné son plus beau costume et sa plus jolie cravate. J'ai bien vu qu'il était content, le Patron. Avec Foued, on a sorti le grand jeu : le gâteau, les bougies et même la chanson. D'ailleurs cette sorcière de voisine a cogné au plafond avec son balai. Elle croit peut-être qu'elle va m'empêcher de chanter ? Si elle continue à nous emmerder, je vais descendre et lui casser le corps en deux. Bref, on s'en fichait de toute façon, on a certainement dû chanter encore plus fort pour l'énerver, cette conne, ça nous rendait heureux tous les trois. J'aime ces moments d'arc-en-ciel après les semaines de pluie.

Après ça, je suis allée m'enfermer dans ma chambre pour écouter à fond le disque de Diam's que j'ai volé au Leclerc la semaine dernière – cela dit, faudrait que j'arrête un peu de péta, j'ai passé l'âge. Je suis devant mon miroir avec mon déodorant à bille en guise de micro, et je chante, on dirait une folle. Si on me voyait ! Il ne m'en faut pas beaucoup pour être contente. Me sentant heureuse, je me dis que ça ne dure jamais longtemps mais que c'est bien bon quand ça arrive. Je suis comme une dingue, je chante de plus en plus fort, je monte le volume de la chaîne hi-fi et je saute de toutes mes forces. La musique me porte et je me prends à rêver d'un concert de Diam's : elle m'invite sur scène pour un duo, nous rappons devant une foule euphorique, je kiffe, je lève le bras, j'en ai mal au ventre, mon cœur s'emballe. Elle me laisse un peu la vedette et pousse son public à scander mon nom, alors tout le monde crie : « AHLÈME ! AHLÈME ! » Quand tout est fini, on sort et on rejoint les coulisses, épuisées mais folles de joie. Diam's garde la classe, son mascara n'a pas coulé, elle ne transpire pas. Quant à moi, trois mecs du staff se précipitent dans ma direction pour m'apporter des serviettes-éponges et des lingettes démaquillantes. Ensuite, nous échangeons nos impressions en sirotant un verre de Tropicana dans les loges.

Des coups répétés me ramènent à la réalité. Cette mocheté de voisine – conne ET fonctionnaire, ça fait un peu trop – cogne encore. Je l'ai fait enrager avec mes histoires de concert de rap, mais je m'en tape. Elle peut se décrocher le bras et même appeler les flics, je les inviterai à danser avec moi. On jouera le remake : *Danse avec les keufs.*

Puis la sonnerie du téléphone achève mon retour sur terre. C'est encore cette gamine qui n'arrête pas d'appeler à la maison pour parler à Foued. Je dis toujours qu'il dort, qu'il prend sa douche ou qu'il est sorti même s'il est dans sa chambre. Elle m'agace à téléphoner sans cesse. Je n'aime pas sa voix et elle ne m'inspire rien de bien. Elle sonne petite conne qui rembourre ses soutiens-gorge et qui traite sa mère de connasse. Je n'ai pas confiance. Parfois Foued me demande : « C'était qui au téléphone ? » Alors j'avale ma salive et je mens, en lui répondant : « C'était la mairie » ou bien « Ma copine Linda ». Il faut toujours avaler sa salive avant de mentir, ça passe mieux.

Je ne peux pas expliquer pourquoi je fais ça. Peut-être que je ne devrais pas, mais je n'arrive pas à m'en empêcher. Avec mon petit frère, je crois toujours agir comme il faut. Pour les filles, il n'y a pas le feu. Pour l'instant, il doit penser à l'école. Il pourra avoir des copines l'été quand il sera loin de la maison, en colonie de vacances par exemple. Comme ça au moins, je n'en saurai rien. D'ici là, il aura un peu plus de logiciels dans le disque dur. Donc pour l'instant, la petite conne, elle peut continuer à faire ses tests psycho et foutre la paix à mon petit frère.

En ce moment, c'est raide pour lui au lycée. Pas plus tard que la semaine dernière, j'ai été convoquée par la conseillère d'éducation et ça ne s'est pas très bien passé. Je ne sais pas, il n'y a pas eu d'affinités particulières entre nous. D'abord je n'ai pas de leçons à recevoir de qui que ce soit. Et puis, j'ai détesté l'approche de cette pauvre femme à la chemise trop bien repassée. Elle était pleine de bons sentiments et d'expressions toutes faites qu'on trouve dans les livres, du genre : « travailler en banlieue », « changer le monde » ou encore « s'épanouir parmi les pauvres ». Elle m'a lu, non sans une certaine jouissance, quelques-uns des rapports de discipline des professeurs qui ont exclu Foued de leurs cours. « Insolent », « violent », « irrespectueux » furent les trois adjectifs le plus souvent employés. Je ne pouvais pas croire qu'il s'agissait de mon petit frère, mais en examinant de près certains des rapports, en réalité, j'ai bien reconnu sa griffe et je dois avouer que c'était plutôt marrant.

*L'élève Foued Galbi a uriné dans la corbeille à papier au fond de la salle de classe alors que j'avais le dos tourné, une odeur infecte a envahi mon cours. Je ne tolérerai plus ce comportement animal.*

*M. Costa, professeur de mathématiques.*


*Foued G. est un perturbateur. Il fait le pitre et ne pense qu'à amuser la galerie au lieu de travailler. Il attend le silence pendant le devoir sur table afin de modifier sa voix pour prononcer des choses vulgaires et honteuses telles que « TEUB » ou « GLAND ». Ensuite toute la classe éclate de rire et je dois à nouveau faire la police pour calmer le chahut.*

*Mme Fidel, professeur d'espagnol.*


*Rapport de M. Denoyer, professeur de SVT (Sciences et vie de la terre)*

*Foued Galbi me menace en plein cours. Je cite : « Je sais où t'habites, bâtard ! », « Je vais te casser la bouche, enculé, va ! ».*

*De plus, hier, mercredi 16, caché dans le couloir, derrière un poteau tel un fourbe, il a prononcé des insultes graves à mon égard, je cite : « Denoyer tête de fion », « Denoyer gros cul », « Denoyer, ta femme elle est grosse ».*

*Avant cela, un jour de contrôle, il avait placé un chewing-gum dans la serrure de la salle de cours. Je n'ai pas pu ouvrir ma classe et nous avons dû reporter le devoir. Je réclame une sanction à la hauteur de la gravité des actes et surtout des propos du jeune individu, c'est-à-dire au moins un conseil de discipline suivi d'un renvoi définitif.*

J'ai demandé à la conseillère à tort et à travers d'éducation si déscolariser un gosse de quinze ans parce qu'il a fait le constat que son prof a un gros cul n'était pas une décision un peu extrême. Elle m'a simplement répondu que, de toute façon, dans quelques mois, l'école ne serait plus obligatoire pour lui et que, s'il continuait sur cette voie, le renvoi serait le dernier recours.

J'ai terminé l'entretien en lui disant exactement ce qu'elle espérait entendre : j'allais lui remonter les bretelles, ça ne se reproduirait pas et même, dans une semaine, il serait une bête en algèbre. Promis, juré, craché. Tfouh.

Ces profs, je te jure... J'ai eu le même genre de casse-bonbons qui font ce boulot parce que les vacances, ça les arrange, et dont le moment préféré de la journée, c'est la sacro-sainte pause café.

Je sors enfin de ce bureau affreux dont les murs sont recouverts d'affiches préventives et de photos d'animaux domestiques. En restant une demi-heure là-dedans, j'ai tout pigé de cette femme. C'est fou comme elle est seule au fond, à voir s'effondrer les unes après les autres toutes les illusions qu'elle se faisait sur son métier. Alors elle tente des parades, et ça se remarque. Elle cherche à se persuader qu'elle est réellement utile ici. Elle y croyait encore il y a quelques jours, juste avant que l'on ne retrouve le cadavre d'Ambroise, le poisson rouge du lycée qu'elle nourrissait avec amour, crevé au fond du casier de cette pétasse de Mme Rozet, la prof de sport. Avec un peu de chance cette pauvre conseillère sera mutée dans la Sarthe et tout ira pour le mieux.

## Quand on a aimé, on ne compte plus...

Je vois maintenant les hommes en vert qui s'approchent dangereusement de moi.

« T'es complètement malade ! On te l'avait dit qu'il fallait en mettre un ! T'es bien dans la merde maintenant...

— Ça va, je sais, n'en rajoute pas, j'ai compris. Je vais assumer ma connerie et c'est tout ! C'était un oubli, un accident, j'y ai pas pensé.

— Mais j'espère que tu te rends compte que c'est un truc de ouf. T'arrives à ça super-bêtement, t'en avais un sur toi. Il suffisait de le mettre, c'est tout ! T'as même pas les moyens d'assumer ta bêtise. Comment tu vas faire ?

— Ouais, OK, merci, c'est fait, arrêtez de m'engueuler, ça changera rien. Je vais me démerder, c'est bon... »

Les filles ont raison, j'ai déconné. C'est foutu, trop tard pour réparer ma connerie, je vais payer le prix de mon insouciance.

« Titre de transport » ~~ticket~~

Je lui présente directement ma pièce d'identité afin qu'il me mette son amende. Pas la peine de polémiquer, je vois d'avance à son visage de mouette dépressive que toutes les issues sont bloquées.

Linda et Nawel, citoyennes modèles lèche-culs du

56

système, montrent sagement leur carte Navigo. Elles récupèrent leur titre dans un sourire réglo-chico qui respecte la loi lui aussi.

Je capitule et tends au contrôleur mon magnifique passeport vert justifiant de mon existence. Ses yeux d'oiseau malade se posent sur les inscriptions exotiques « République démocratique et populaire algérienne ». Je le vois qui s'angoisse, la tête lui tourne, il est perturbé, il lui faut ses gouttes immédiatement.

« Vous n'avez pas un document écrit en français ?

— Commencez par l'ouvrir, vous verrez qu'il est bilingue, y a votre langue à l'intérieur.

— Ne jouez pas à l'insolente avec moi ou ça risque de mal se passer, je vous rappelle que vous n'êtes pas en règle. »

Tout ça parce que je n'ai pas foutu ce maudit bout de carton mauve dans leur putain de machine.

Alors je la ferme, car ici comme partout ailleurs, lorsqu'on n'est pas dans les règles, on la ferme. Je n'ai aucune envie de passer mon après-midi au poste parce que les keufs, c'est encore une autre histoire...

Les agents de la RATP se cassent, contents de faire leur travail comme il faut, en me laissant le petit papier bleu qui me condamne à payer soixante-deux euros. Me voilà obligée d'injecter cette somme scandaleuse à notre État toxicomane à qui il en faut toujours plus. Les filles proposent de m'aider à la payer. Je refuse, ça ne se fait pas, mais en même temps, je me rends compte qu'elles n'insistent pas non plus. Puis elles se mettent à raconter leur soirée de Saint-Valentin, leur dîner aux chandelles, leur cadeau et d'autres choses qui ne se racontent pas dans un autobus normalement, en particulier à cette heure-ci, un jour de marché.

Au début, je les écoute et je participe. Ensuite, lorsque ça parle d'amour, je décroche. Pendant que les minettes s'échangent leurs impressions de valentines gâtées, je remarque un jeune couple sur ma droite. Ils sont bien habillés et sentent le parfum. Le type a une noisette de gel dans les cheveux et la fille, un trait de crayon sur les yeux. Ils sont dans une osmose impossible à décrire. Ça me frappe comme ils s'aiment, ils se regardent jusqu'au fond de la rétine, et à les voir comme ça, je parierais qu'ils pourraient le faire des heures durant. Ils se touchent un peu, discrètement, ils se sourient. Alors il se met à l'embrasser dans le cou et la fille gigote comme un poulet, ça a l'air de lui procurer de bonnes sensations. Le mec plonge dans sa gorge de plus belle, avec un air de babouin orphelin. On croirait assister à un documentaire animalier.

Moi aussi j'ai été amoureuse une fois, mais pas en public, pas comme ça ; enfin, je ne crois pas, ou peut-être que je ne m'en souviens plus. Ça remonte à loin déjà...

Des couples, en ce moment, j'en vois partout. Ils sortent surtout quand il commence à faire beau. Ils vont dans les parcs, les cafés, les cinémas et ils s'affichent normal, ces endroits grouillent de gens qui s'aiment. Ils agissent comme si rien n'existait autour d'eux.

Dans cet état-là, il nous reste une part si infime de notre lucidité qu'on pourrait faire n'importe quoi. À vue de nez et à vol d'oiseau, je dirais qu'on perd au moins la moitié de ses capacités intellectuelles, peut-être même plus.

C'est vrai que si on est bête dans l'amour, alors qu'est-ce qu'on est bête dans le chagrin d'amour...

On passe son temps à chialer, on chiale à en ruiner les moindres recoins de son kleenex, et puis on se met à perdre du poids, on brûle une somme incroyable de calories.

C'est fou comme la tristesse est un régime efficace, ça vaut dix fois mieux que toutes ces recettes miracles « Comment perdre du poids avant les beaux jours » qui étouffent les unes des magazines.

Dans ces moments, notre entourage s'inquiète vraiment beaucoup et n'a de cesse de nous demander si ça va *mieux* – et pas juste si ça va, comme avant.

On multiplie sa consommation de café, de cigarettes, d'alcool, et de drogue éventuellement... On se met aussi à écouter des chansons tristes, à regarder des films larmoyants. On a souvent besoin de parler, et on se retrouve avec des factures téléphoniques de dix pages. Surtout, on ne pense qu'à ça. Au boulot, on frôle le blâme voire le licenciement, et c'est étrange mais on le souhaiterait presque. À la maison, on casse de la vaisselle, bien souvent on nique involontairement le plus beau service du placard, un cadeau de la famille. Devant le miroir, on a du mal à affronter ce visage boursouflé par les pleurs qu'on n'a jamais trouvé si moche. Et quand on s'oblige à faire un petit effort, on n'arrive même plus à se mettre du rouge à lèvres sans déborder. À un moment, on finit carrément par trouver la force de dire à cette voisine bavarde qui nous casse les bonbons depuis des années qu'en vérité, on se fiche éperdument des histoires de son oncle malade en Bretagne et des chaleurs de sa chatte qui sont si fulgurantes que même le vétérinaire n'y peut plus grand-chose.

On se fout complètement de ça et du reste aussi.

Et puis, un matin de grâce, on s'aperçoit que ça y est, c'est moins lourd à porter, on se sent mieux, on dort la nuit, on sort le jour et on se donne du courage pour avancer.

Peu après, il arrive qu'on croise le concerné dans la rue. Et ce jour-là précisément, il se trouve que l'on est carrément moche, mais je vous parle de cet état de mocheté que l'on endure seulement une fois dans l'année. Voilà, on le croise à ce moment-là.

Ça se passe toujours comme ça. Rien à voir avec cet instant qu'on avait imaginé dans tous les sens, ce film de la rencontre qu'on avait projeté dans sa tête des centaines de fois et refait à l'infini, rembobiné sans oublier un seul détail. Aucun scénario ne pouvait ressembler à cette catastrophique réalité. On est fringuée comme un sac, on a les cernes qui descendent jusqu'aux joues et une coupe de cheveux digne des séries télé des années 80. C'est comme ça, théorie vérifiée aussi vrai que « la caisse d'à côté va plus vite » ou « ce qu'il y a dans l'assiette du voisin a l'air meilleur ». Là, pas d'autre solution que celle de fuir, s'esquiver à tout prix en priant fort le ciel qu'il n'ait rien vu.

Moi, pour éviter d'en arriver là, je me suis vaccinée. Je me suis juré qu'à l'avenir je me méfierais des hommes gentils, ceux qui te tiennent la porte, paient l'addition, arrivent à l'heure aux rendez-vous et t'écoutent quand tu parles ; parce que ça cache forcément quelque chose. Ce genre de gars-là, je le fuis comme la peste, c'est lui qui te fout dans les pires états, qui te bousille le cœur et les kleenex.

Il dit qu'il t'aime, ensuite il te montre la photo de sa femme entourée des mômes qu'il a en bonne place dans son portefeuille au milieu de toutes ses cartes de crédit.

Il dit que tu es la femme de sa vie, puis il te quitte brutalement parce que soi-disant tu es trop bien pour lui. Tu n'y comprends rien jusqu'au jour où tu le vois se balader sans complexe avec son ex – enfin, c'est toi l'ex maintenant.

Il te trouve belle, intelligente, douce et drôle, et t'emprunte souvent de l'argent – mais quand on aime, on ne compte pas. Or, un matin, comme tous les autres matins, tu lui téléphones pour lui dire que tu l'aimes, mais, surprise, c'est la voix féminine froide et cynique de son opérateur téléphonique qui te répond. Elle t'apprend que le numéro n'existe plus, tu n'entendras plus jamais parler de lui.

Ou alors il vient te chercher en bas de chez toi dans sa Ford Focus gris métal, t'ouvre la portière, te demande si tu as passé une bonne journée, et te complimente sur ta tenue vestimentaire. Toi, tu te sens belle, tu le regardes amoureusement en te disant que tu es bien avec lui. Quand vous sortez de la caisse, il se remet les burnes en place et il rote. Toi tu trouves ça dégueulasse, mais tant pis, tu le kiffes. Ensuite, il utilise le verrouillage centralisé à distance, *tut-tut*, par-dessus son épaule. Tu trouves ça super-classe, il est glamour, ça te plaît, bref tu l'aimes. Il t'annonce qu'il t'emmène au resto – tiens, ça n'arrive pas souvent. Comme tu es une habituée des films à l'eau de rose du dimanche après-midi à la télévision, tu crois qu'il va te faire sa demande en mariage. Mais au milieu de ta salade minceur, il t'explique qu'il a rencontré quelqu'un d'autre, que c'est une nana géniale et qu'il s'en va avec elle à Grenoble. Il plie bagage la semaine prochaine donc tu serais sympa de lui rendre la perceuse qu'il t'a prêtée et tous ses disques de Barry White. Et en passant, on partage l'addition ?

J'ai beaucoup pleuré pour les mecs. Souvent je l'ai regretté après coup en me disant que c'est tous des connards – on dit toutes ça – et qu'aucun ne vaut une seule de mes larmes. En même temps, je chiale pour pas grand-chose. Je suis capable de pleurer devant des émissions de télé à la con : l'enfant qui retrouve sa mère ou le chômeur qui retrouve du boulot, ça me fait fondre.

Le jour de l'accouchement de Tantie Mariatou, non seulement j'étais la seule Blanche dans la salle d'attente de la clinique mais la seule à pleurer. Les autres me regardaient en biais en se demandant si j'étais là pour la même chose qu'eux. C'est comme si je rattrapais toutes ces années où mes yeux ont été avares de larmes.

À la mort de Maman, je n'ai pas pleuré. Je pense que je ne comprenais pas ce qui arrivait, tout simplement.

C'était le jour du mariage de Djamila la grosse, une cousine éloignée qui habitait un village voisin. Maman s'était chargée de coudre toutes les tenues du trousseau. Je me vois encore accroupie près d'elle en train de l'observer. Je pouvais passer des heures à la regarder travailler, elle me fascinait. De ses doigts fins et délicats, elle brodait le veston algérois de fil doré, suivant précisément et avec soin les courbes du dessin, sans dépasser, sans avoir besoin de recommencer. Pendant de longs mois, elle a ainsi réalisé les sept tenues traditionnelles pour la mariée. Ce n'était pas une petite tâche : il a fallu beaucoup de tissu et de perles, car la mariée en question pesait une centaine de kilos.

Je me souviens de ces longs après-midi durant lesquels les femmes du village ne parlaient que de ce grand événement. En particulier Zineb et Samira, les cuisinières qui se moquaient tout le temps de Djamila, ne faisaient que jacter.

« Tu verras, le jour du mariage, il va pleuvoir toute la journée. Tu sais ce qu'on dit : si les jeunes filles ouvrent la gamelle dans la cuisine pour goûter avant l'heure du repas en cachette de leur mère, ça leur porte malheur et, le jour du mariage, il pleut. Elle a dû faire ça un grand nombre de fois, tu vois, elle est plus grosse que les vaches de Belbachir.

— Oui, c'est vrai, je me demande si elle va rentrer dans les robes que Sakina se tue à lui coudre... »

Et puis elles riaient comme des poules. Je trouvais ça plutôt salaud de leur part et je me demandais comment elles pouvaient oser se moquer si méchamment de Djamila et ouvrir sans scrupule leurs bouches venimeuses qui ne renfermaient que quelques dents gâtées. Maman les engueulait et leur disait qu'elles n'étaient que deux vieilles pies jalouses et aigries et que Dieu les punirait de dire ces choses-là. Elle criait au milieu de la cour : « Un matin, vous vous réveillerez sans votre langue, *inchallah*. »

J'aurais fait n'importe quoi pour assister à la fête, j'en avais tellement envie ! Je n'avais que onze ans et j'ai supplié Maman de m'y emmener. Mais elle a refusé, avec impossibilité de négocier. Je lui ai pourtant proposé de trier ses tas de rubans et toutes les chutes de tissus, de nettoyer l'étable, de traire la vache tous les matins, d'aller chez Aïcha la sorcière récupérer de la laine, mais rien à faire, il fallait que je m'occupe de mon petit frère qui n'était qu'un nourrisson et en plus, elle n'aurait pas pu veiller sur moi, elle serait trop occupée à habiller la mariée. Aussi, ce qui l'inquiétait davantage, c'était ce long trajet pour aller au village. « Par les temps qui courent, les routes ne sont plus sûres, tout le pays est infesté de faux barrages, je n'ai pas envie qu'il t'arrive quelque chose. »

Et à elle, il ne pouvait rien lui arriver ? Je sentais bien que le climat était tendu. Je me souviens qu'on ne pouvait plus écouter de la musique trop fort, surtout les chansons d'amour, et que certains mots ne devaient plus être prononcés hors de chez soi. Les gens avaient tout le temps peur, les rideaux avaient été décrochés des fenêtres pour être remplacés par des grillages. L'oncle Khaled ne voulait plus du tout qu'on mette un pied à l'extérieur de la maison, même pour acheter nos parts de kerentita – de toute façon, le vendeur ambulant ne passait plus du côté de chez nous désormais.

La date de la fête est arrivée et la mort a frappé, sauvagement. Elle est venue en équipe, a jeté son dévolu sur ce tout petit village, dans lequel, au moins pour un soir, avait régné la joie. Ce fut un vrai massacre, plus de youyous, seulement des cris. Ils ont assassiné tout le monde, même les enfants, des bébés aussi minuscules que Foued. Et puis ce n'était pas le seul village à avoir été rasé. Alors on ne célébra plus tellement de mariages, les gens étant traumatisés par ces images de corps mutilés et de biberons ensanglantés. Je me souviens d'avoir fait ce rêve dans lequel les robes que ma chère petite Maman avait confectionnées avec tant de soin se tachaient de sang. C'est Maman qui a choisi de m'appeler Ahlème. Mon prénom signifie « rêve » en arabe. Celui de Maman était de me voir un jour à mon tour défiler dans les sept tenues traditionnelles de mariée. Je n'ai plus remis les pieds en Algérie, je ne sais pas si c'est à cause de la peur ou d'autre chose. J'espère que j'aurai la force d'y retourner un jour, pour sentir à nouveau la terre du bled, la chaleur des gens et oublier l'odeur du sang.

# Hasard à part

Le Patron fait la sieste, moi, je rêve à une vie meilleure et les étudiants manifestent dans les rues de Paris. Le commissariat de proximité vient d'appeler à l'appart pour que l'on vienne chercher Foued. Mon petit frère chez les schmittards, ça me fait un choc. À son âge, si j'avais eu une simple amende RATP, le Patron aurait fait une crise d'épilepsie et m'aurait chicotée suffisamment pour que je m'en souvienne ; il nous a appris le respect de l'autorité, enfin, il a essayé en tout cas.

Ça m'a toujours étonnée cette drôle de gratitude que le Patron et d'autres messieurs de son âge ont pour leur pays d'accueil. On rase les murs, on paie son loyer à l'heure, casier judiciaire vierge, pas cinq minutes de chômage en quarante ans de boulot, et après ça, on ôte le chapeau, on sourit et on dit : « Merci la France ! »

Je me suis souvent demandé comment un homme comme le Patron, qui considère la fierté comme un organe vital, a pu baisser la tête toutes ces années avant de la perdre complètement. Je ne vais pas le réveiller pour lui dire que son seul fils est chez les keufs, pas la peine, je le laisse se reposer. Je le regarde dormir et il me paraît vieux et fatigué. Mon pauvre Patron semble épuisé, crevé d'avoir fait valser son partenaire le marteau-piqueur sans relâche, crevé aussi d'avoir mené ce tango tumultueux avec « Franssa » pendant presque quarante ans. Il n'en garde pas un goût amer pour autant, mais juste ce bazar dans sa tête...

Pourquoi Foued me rend la tâche si compliquée ? Ces derniers temps, il m'a promis de se calmer, de faire des efforts à l'école ; il sait parfaitement qu'il ne doit pas déconner, je pensais qu'il avait compris mais, comme dit Tantie Mariatou, « ce n'est pas parce que le serpent est immobile qu'il est une branche ».

En plus, à cause de cette espèce de pisseur, je vais mettre les pieds chez les uniformes, et ça me fout la rage.

Là, à l'entrée du commico, je croise un visage familier que j'ai déjà aperçu au bureau des étrangers. C'est Tonislav, le beau gosse au vieux blouson de cuir. Je le vois qui bombarde droit devant lui, les sourcils froncés. Je lui attrape le bras au passage et, inquiet, il sursaute.

« Tu m'as fait peur, ma jolie ! Comment ça va ?

— Bien, merci ! Et toi, Tonislav, la forme ?

— Moi je vais toujours bien ! Qu'est-ce que tu fabriques ici ?

— Je dois aller chercher mon petit frère, il a dû faire une connerie.

— Aïe aïe aïe ! Ne sois pas trop dure avec lui alors...

— Ouais ouais, ça on verra tout à l'heure... En tout cas, ça me fait plaisir de te voir ici par hasard !

— Par hasard ? Je t'apprends une chose aujourd'hui, le hasard n'existe pas, c'est pour les fous.

— Ah bon, carrément pour les fous ?

— Oui, mais peut-être que ça te ferait plaisir de se voir sans hasard... »

Il lève un sourcil et me regarde sans cligner des yeux. Ça me fait rigoler et lui aussi. Ses grands yeux bleus se plissent et deux mignonnes petites fossettes se dessinent sur ses joues alors que je vois apparaître pour la première fois une dent en argent qui se fait remarquer et nargue toutes les autres. Il m'a troublée le bougre. Il est beau, je dois l'admettre. Je lui laisse mon numéro de téléphone qu'il glisse, fier, dans la poche de son cuir usé. Il a raison, j'aimerais le revoir, hasard à part.

Je m'adresse à un keuf gras et pervers qui regarde ma poitrine comme si c'étaient mes yeux. Il me fait penser à Francky Vincent, avec sa moustache fine et son air encore plus libidineux. Il me demande de patienter et me montre du doigt une machine à café, signe que je vais certainement attendre un peu plus de cinq minutes. J'aurais bien eu besoin d'un petit noir serré mais la machine est en panne – ça aurait été trop beau. Je marche, je tourne en rond, mes talons font un bruit désagréable lorsqu'ils heurtent le carrelage. Ça résonne partout, ça me rend dingue. Je finis par m'asseoir. Je repense à Tonislav et me prends à rêver d'amour au milieu d'un hall de commissariat.

Des tas de gens défilent devant moi. Il y a une femme qui est venue porter plainte contre son patron. Elle a raconté à voix haute que c'était du harcèlement sexuel parce qu'il lui foutait des mains au cul et qu'il lui disait : « Salope ! va me chercher un café. Salope ! fais-moi une photocopie. » C'est là que j'ai réalisé qu'il y avait une putain de promiscuité dans un commissariat de police. Même si tu attends pour un papier, tu entends les histoires de tout le monde.

Et puis là, je vois les copains de mon frangin, les frères Villovitch, menottés avec une bande de schmittards satisfaits, et je capte que c'est une affaire de famille. Mon frère a été interpellé pour un plan qui pue et, tel que je le connais, il a sûrement été capable de l'organiser, parce que son problème à Foued, c'est qu'il n'est pas un suiveur.

Francky me lance des petits regards langoureux de temps à autre. Ça fait bientôt une heure que j'attends. Je me décide à lui demander de nouveau à quel moment il me sera possible de récupérer mon petit frère, et là, culotté, il m'avoue sans complexe qu'il avait oublié pourquoi j'étais venue. Donc, après ses indications, je me dirige vers une porte et je ne peine pas à deviner que ses yeux affamés suivent mon zerk. J'essaie de garder mon sang-froid au max et Dieu sait que ce n'est pas facile. Là, dans un petit bureau trop éclairé, Foued est assis sur un banc. En me voyant entrer dans la pièce, il n'ose pas affronter mon regard et préfère baisser les yeux. Il a honte et il fait bien. Mon frère est menotté au radiateur contre le mur et ça me fait un mal que ces types en bleu n'imaginent même pas. Starsky et Hutch me font sortir du bureau pour m'expliquer l'histoire, une grosse embrouille entre les petits de l'Insurrection, dont Foued et ses collègues, et ceux de Youri-Gagarine, la cité voisine. D'après les keufs, c'est parti d'une arnaque de gamins. Mon petit frère et ses compères ont revendu un lot de DVD pour le compte d'un des types d'en face, un peu plus âgé, mais ils ne lui ont pas rendu la somme parce que l'autre mec ne voulait pas les payer assez, enfin une connerie du genre, un truc de sales mômes qui ne comprennent rien à rien. En plus, Navarro et toute la clique ont retrouvé dans le bombardier de Foued une bombe lacrymogène, un brise-vitre et un grand couteau à viande. Je me disais bien aussi, j'ai retourné toute la cuisine pour le retrouver, ce couteau.

Cela dit, la brigade des bras cassés a raison, ça aurait pu très mal tourner. Un des petits est à l'hôpital ; quant à mon frère, il a l'arcade pétée et la bouche archi-gonflée. On croirait qu'on lui a injecté du collagène ou je ne sais quoi.

Le pisseur en question, je ne l'engueule pas. Pourtant, ce n'est pas l'envie qui m'en manque : à cet instant précis, je voudrais faire de son corps un nœud papillon. En fait je n'arrive pas à réagir. Je suis trop dépassée. J'en suis restée à ce petit Foufou avec qui je prenais mon chocolat avant l'école en regardant les dessins animés, donc je n'ai même pas la force de le plier en deux, ce petit con.

J'espère que lorsque nous rentrerons, le Patron dormira encore.

# RDV

Je me suis arrangée pour mon rendez-vous. J'ai passé deux heures dans la salle de bains. J'ai mis du mascara pour allonger mes cils, un soutien-gorge rembourré pour galber ma poitrine, j'ai fait un brushing pour raidir mes cheveux, un masque pour hydrater ma peau et une prière pour assurer mon salut. J'ai pensé mettre une jupe, mais je ne sais pas comment me tenir avec ces machins-là. Il faudrait que je pense tout le temps à serrer mes jambes lorsque je serais assise et à l'ajuster en marchant si elle remontait trop. J'opte finalement pour un jean sinon c'est beaucoup trop de choses à gérer...

Bien sûr, je n'oublie pas la touche finale, je me bombarde de parfum. Objectif du jour : lui rappeler les bonbons de son enfance. J'ai mis le paquet, je vais même jusqu'à mettre des talons hauts. J'ai une boule dans le ventre, je me presse, je me cogne et puis à un moment je m'arrête et je me demande pourquoi je fais tout ça.

Au téléphone, il m'a donné rendez-vous à 17 heures dans un café de la place d'Italie et puis il a ajouté qu'il y serait dès moins le quart. Donc je me pointe à moins vingt.

Le café s'appelle Le Balto, comme la plupart des cafés. Peut-être que, plus tard, cet endroit deviendra

« notre » café. Peut-être que, dans quelques années, on se souviendra de ce jour, qu'on en reparlera avec émotion. Oui, je m'emballe, et alors ? J'ai pas le droit pour une fois ?

Je m'installe et commande un café serré. À côté de moi, une très grosse dame avec un chignon énorme compte à haute voix des pièces de deux centimes étalées sur la table. « 88, 90, 92, 94, 98, 102... heu... oh merde ! fait chier ! 2, 4, 6, 8... » Je me brûle les lèvres avec le café bouillant tandis que le barman essuie ses verres avec méthode. Il siffle un air que je ne reconnais pas et puis il se met à chanter du Brel, et là, ça se complique. Je sens la grosse dame au chignon qui s'agace et puis, d'un coup, elle fout en l'air toutes les pièces qu'elle avait soigneusement disposées en petites piles devant elle.

« Merde, Diego ! Chante en silence, tu me déconcentres !

— C'est mon bar, non ? Je chante si je veux.

— Tu m'emmerdes à la fin, j'essaie de compter.

— T'as qu'à arrêter de picoler, Rita, tu verras, tu compteras plus vite ! »

La grosse dame hystérique se tourne vers moi brusquement.

« Et toi, jeune fille ? Tu comptes vite ? »

Sans me laisser le temps de développer ma réponse, elle prend toutes ses pièces par poignées et me les éparpille sur la table. Elle en fiche partout, il y a même une pièce qui tombe dans ma tasse. Rita plonge deux de ses gros doigts boudinés dans mon café pour récupérer une partie de sa fortune. Alors, j'exécute les ordres de Big Chignon. Je trie consciencieusement la monnaie et je fais le calcul : il y a exactement quatre euros et trente-huit centimes.

Satisfaite, la dame range la cagnotte dans un sac plastique Monoprix, laisse huit centimes sur la table et me lance : « Garde-les, ma belle, tu le mérites. »

Sur ce, Tonislav pousse la porte du Balto. Une vraie scène de film, il entre dans un faisceau de lumière ; je vois tout au ralenti et j'entends même de la musique dans ma tête. Tous les éléments sont là pour rendre son arrivée fracassante. Il a les cheveux en bataille, une barbe de trois jours collée sur la gueule, un jean troué et son Perfecto usé qu'il ne quitte jamais. Si avec tout ça je réussis à le trouver très beau, ben ça vaut bien la peine de passer des semaines dans la salle de bains. Je me sens mal à l'aise et superficielle maintenant...

Après, tout va très vite, il me jette son sourire de poète disparu, s'approche et m'embrasse le plus naturellement du monde, presque comme s'il accomplissait un acte quotidien, un truc banal comme faire ses lacets ou allumer une clope. On peut dire que c'est un mec radical, il me traumat sur place le bougre. Ensuite, il s'installe près de moi sur la banquette avec une sérénité étonnante.

Je reste un moment les yeux écarquillés avant que Big Chignon n'éclate d'un rire gras qui me ridiculise davantage.

Tout ça est trop d'un coup, j'ai la fièvre. Je vois ensuite Tonislav qui se marre et je me marre à mon tour, ça détend l'atmosphère.

Quand je vais raconter ça aux filles, elles ne me croiront jamais, parce que sur la tombe de ma mère c'est la vérité : en temps normal je ne me serais jamais laissé embrasser au premier rancard ! Et là, nom d'une putain de pipe en bois de baobab, le mec, il arrive, il me saute sur la bouche, l'air de rien... Sans que je signe aucun papier avant, on ne m'a pas envoyé de mail pour m'avertir, enfin je n'étais pas prête du tout quoi.

Ensuite, on parle pendant des heures, je bois ses paroles comme une débutante. Il me raconte plein d'histoires farfelues, et je le crois comme on croit au père Noël à quatre ans. Il me raconte sa vie à Belgrade, quand il organisait des combats de chiens sauvages pour gagner sa vie lorsqu'il était adolescent et fauché, ou plus tard, les cours de violon qu'il donnait dans une école de jeunes filles. Elles devaient toutes baver devant lui comme des limaces. Si j'avais eu un prof ressemblant à Tonislav, je n'aurais certainement pas arrêté l'école à seize ans.

En réalité, c'est un grand musicien, il joue du violon depuis des années, en plus il a appris seul, avec l'instrument de son père, d'après ce qu'il me dit. Il volait des partitions au conservatoire national et il se démerdait.

Ce qui me déconcerte à bloc, c'est que devant ce type que je connais à peine, je perds tous mes moyens, plus aucun repère, je me contente de rire bêtement à tout ce qu'il raconte. Wesh ? Qu'est-ce qu'il m'arrive ? C'est pas moi cette conne maquillée qui glousse comme une poule de basse-cour.

# L'honneur du Patron

Aujourd'hui mon père n'est plus un homme. Tout s'effondre.

Le Patron a voulu raser sa grande et généreuse moustache, il a mal calculé son coup, devait avoir la tête ailleurs, et il s'est loupé. Quand je suis rentrée à la maison, j'ai trouvé cet imbécile de Foued qui rigolait à s'en taper le cul par terre. Quant au pauvre Patron, il était dans son lit, allongé sur le dos avec un morceau de moustache dans la main. Au-dessus de ses lèvres il ne restait qu'un bout sans forme. Il m'a fait trop pitié, étendu comme ça, on aurait dit un vieux cancéreux sur son lit de mort.

« Qu'est-ce qu'il s'est passé, Papa ?

— On m'a jeté l'œil ! Quelqu'un m'a jeté l'*aïn* !

— Mais non, on ne t'a pas jeté l'œil, tu t'es mal rasé, c'est tout.

— Et l'autre alors qui rigole là-bas ! »

On entendait le rire aigu de ce pisseur depuis le salon.

« Foued ! Ferme-la ! Papa, viens, je rase tout, comme ça elle repoussera bien comme il faut.

— Je suis plus un homme, moi ! Mon fils, il a plus de moustache que moi ! Je ne sors plus dehors, je ne vais plus travailler.

— C'est pas grave, ça repousse une moustache.

— J'ai perdu l'honneur ! Moi, j'avais un honneur !
J'ai porté le drapeau tout en haut ! J'étais fier et je
regardais le ciel ! »

Le voilà qui se met à chanter l'hymne national algérien en regardant le plafond. Puis il me fait signe de
m'approcher.

« Moi, je préfère l'œuf sur le plat quand le blanc
est bien cuit et que le jaune coule un peu, comme ça
je trempe le pain dedans. Je faisais toujours ça au café
de Slimane à la Goutte-d'Or quand je suis arrivé à
Paris. Il y avait des œufs tous les jours. À l'époque
c'est moi qui avais la plus belle moustache du foyer,
j'étais fier, tu sais... Je voudrais retourner voir Slimane. Dès que je peux, j'irai le visiter à son café,
bientôt, *inchallah* ! Mais j'attends ma nouvelle moustache, si Slimane me voit comme ça, il se moquera de
moi. Slimane fumait au moins deux paquets de
Gitanes par jour, alors il allumera une Gitane et il
rira de moi, il dira : "Monsieur Moustafa Galbi, sans
sa moustache, il est mort !" Écoute cet âne bâté
qui rigole encore, il se moque de son père, il n'a pas
honte ! Dis-lui de se taire ou je lui tranche le cou, je
prends mon Opinel et je lui fais le sourire kabyle. »

Le Patron est triste mais, demain, il ne se rappel-
lera certainement pas le sketch qu'il vient de me faire
sur sa moustache. En revanche, il me racontera peut-
être encore la première fois qu'il est allé au cinéma à
Paris.

Avec ses amis Lakhdar et Mohamed, ils s'amusaient
à resquiller, ils entraient par les sorties de secours pour
ne pas payer leur place. C'était une mode à l'époque, il
paraît. Enfin, c'est le Patron qui le dit.

Il y passait tout son temps libre. Il aimait les films
américains, les westerns, Robert Mitchum... Il aurait

voulu être acteur lui aussi, ou musicien ou un truc dans ce genre. Dans les années 70, il jouait de la guitare pour les amis au fameux café de Slimane à la Goutte-d'Or et il se faisait appeler Sam. C'est qu'il avait du succès, le bougre. De temps en temps, quand ça lui prend, il chantonne encore un peu mais tout ça est loin derrière lui...

Le lendemain je me réveille fatiguée. Je n'ai pas suffisamment dormi parce que j'ai passé toute la soirée à consoler Linda qui a eu une conversation avec son mec. Ce genre de *grande conversation* qui finit en grosse embrouille voire en boucherie dans certains cas. Alors qu'ils étaient ensemble depuis cinq ans et fiancés depuis quelques mois, le type lui a expliqué qu'il n'était pas tout à fait sûr de ses sentiments, qu'il ne se sentait pas prêt à s'engager. Quelle connerie de sa part... Je la connais, Linda, une vraie hargneuse, elle lui fera payer l'addition sévère. Certaines fois, il vaut mieux garder ses doutes pour soi en priant qu'ils ne soient que passagers.

Linda aime Issam depuis le collège, elle se voit avec lui pour le restant de sa vie, l'imagine père de ses enfants, fantasme sur ses chaussettes et ses calebars qu'elle lavera à la main avec de l'assouplissant « linge délicat », et surtout, jusqu'à présent, elle lui faisait une confiance aveugle. Erreur selon moi.

« Putain, le fumier ! Il est fou, le type, carrément il me parle d'engagement ! Il croit quoi ? Je suis pas un opérateur téléphonique, moi ! Il a cru qu'il sortait avec SFR ou Bouygues pour me parler d'engagement ! »

Je crois qu'elle ne réalise pas encore bien, elle est trop dans la colère pour l'instant.

Linda travaille à Body Boom, un institut de beauté

qui propose des soins du corps et des épilations. Comme elle était un peu nerveuse aujourd'hui, elle a reçu quelques plaintes de clientes.

Elle m'a raconté qu'elle a fait pleurer une bimbo cet après-midi. La fille est venue pour se faire épiler la chnek, elle a demandé un maillot brésilien et Linda, comme elle avait la tête ailleurs, elle lui a fait son ticket de travers. Ça m'a fait rigoler, d'après Linda, ça ressemblait plus à une virgule Nike qu'à un maillot brésilien.

Je pense qu'elle a besoin de se défouler, elle va profiter de ce petit coup de chaud dans son couple pour se lâcher un peu. Elle a même proposé qu'on fasse une virée au Tropical Club samedi soir. Ça me plaît quand elle parle comme ça, je sens qu'on va bien se marrer. Le Tropical Club, c'est une discothèque unique au monde, il faut le voir pour le croire. Avec les filles, quand il nous est arrivé d'y aller, c'était surtout pour rigoler. Là-bas faut oublier le côté soirée chic et drague. Un concentré de ploucs dans une ambiance exotico-provinciale, un truc à vivre au moins une fois dans sa vie. Le DJ, Patrick-Romuald, un Antillais d'une trentaine d'années avec un accent tombé directement du cocotier, a l'art et la manière d'ambiancer la piste. Il commente chaque morceau et n'oublie jamais de motiver les troupes.

« Allez, messieurs, on se lève et on se bouge le bonda ! Allez chercher les demoiselles, c'est le moment d'inviter les chabines à danser ! Je suis l'animateur de cette soirée extraordinaire, je me présente : Patrick-Romuald dit "l'Alligator aux dents aiguisées pour croquer le bonda des jeunes chabines"... Oooh ! Petite pointe d'humour de Pointe-à-Pitre... Bonne soirée, je vous promets le frotti-frotta ce soir ! »

Lorsqu'on demande à Patrick-Romuald pourquoi les soirées qu'il anime au Tropical Club se terminent à 4 heures du matin et pas à 6 heures comme la plupart des soirées, il répond avec un sourire malicieux :

« Déjà, sachez, jeunes chabines, que les soirées du Tropical Club n'ont rien à voir avec "la plupart des soirées", et si les soirées de Patrick-Romuald se finissent spécifiquement à 4 heures, c'est simplement parce que celui qui n'a pas trouvé son bonda à ramener à la maison à 4 heures, c'est un zéro ! Mais celui qui l'a trouvé, après 4 heures, il n'a plus envie de danser mais surtout de... »

Maintenant, reste à convaincre Nawel de se décoller de Mouss, sa ventouse de mec, que j'apprécie par ailleurs, mais qui est un peu collant-gluant à mon goût. Jamais l'un sans l'autre, pire qu'un couple, c'est une paire de chaussettes.

Mouss, au quartier de l'Insurrection, c'est THE beau gosse, il a toujours déchaîné les passions. À son passage, les filles se griffent, déchirent leur culotte, cassent des fauteuils. Un sourire, un regard de lui et une foule de femmes est à ses pieds, plus fort que les Beatles, plus fort que Claude François, plus fort que Patrick Sabatier. Il faut être courageuse pour assumer un mec de ce genre et ne pas craindre la concurrence. Nawel a été coriace, elle s'est même battue avec Sabrina Achour pour ce mec. Et quand on connaît le casier judiciaire et la corpulence de l'animal Achour, on peut considérer cela comme une preuve d'amour magnifique. J'espère qu'elle sera chaude pour le Tropical Club et qu'elle ne me la jouera pas femme au foyer samedi soir.

## « Gibbonneries »

J'ai passé l'après-midi chez Tantie Mariatou. Elle
m'a fait des tresses couchées sur le haut de la tête, à
la façon américaine, avec les nattes qui se croisent. Je
lui demande souvent cette coiffure, surtout depuis
que j'ai vu le clip d'Alicia Keys sur MTV, celui dans
lequel elle chante pour son mec qui est en taule en
jouant du piano les yeux fermés. Pendant qu'elle me
coiffait, nous avons regardé à la télévision un reportage sur un couple que la jalousie déchire, les
commentaires de Tantie étaient délicieux, j'ai ri jusqu'à fatiguer. L'homme s'appelle Tony et la femme,
Marjorie. Tony est grand, beau, musclé et il aime
beaucoup sa maman. Marjorie est petite, ronde,
bègue, complexée et elle est très, très jalouse. Elle
consulte les messages sur le portable de son mec,
l'appelle toutes les cinq à huit minutes quand il sort
avec ses copains, et lorsqu'ils se promènent ensemble
dans la rue, elle l'épie sans cesse pour vérifier qu'il
ne mate pas les autres filles, c'est-à-dire celles qui ne
sont ni petites, ni rondes, ni bègues, ni complexées.
Si jamais il a le malheur de se faire attraper en train
de regarder une femme, ça y est, c'est le drame du
siècle, scandale en pleine rue, un vrai carnage.
Ensuite, dans le reportage, chacun d'entre eux s'ex-
primait face caméra sur son malaise, larmes à l'appui.

Tantie vivait le reportage à 100 %. D'ailleurs à des moments, elle s'agaçait tellement qu'elle me tirait le crâne comme une sauvage, j'ai cru qu'elle allait finir par me scalper. Elle parlait à Tony comme s'il était devant elle.

« Mais tu es fou de rester avec une folle comme ça ? Elle est vraiment malade ! Toi, tu es le bonhomme ou non ? Tu la laisses faire, un beau garçon comme toi, demain tu la quittes, demain tu trouves une autre femme mieux qu'elle... Ooooh en plus il revient vers elle, c'est grave, tchiiiiiip... C'est une victime, ce type-là, comme on dit, "la queue du lézard est coriace, plus on la coupe, mieux elle repousse". »

Nous étions donc dans une activité culturelle intense et rafraîchissante quand, tout à coup, Papa Demba est arrivé dans l'appartement comme une flèche. Il a foncé sur la bibliothèque du salon, s'est jeté sur le dictionnaire, puis s'est mis à en tourner les pages comme un fêlé. Tantie et moi, très surprises, le regardions faire du coin de l'œil. Il maltraitait les pages du dico de son doigt qu'il humectait de salive, les sourcils froncés, comme si sa vie dépendait de la définition qu'il était en train de chercher.

Il a très rapidement fait augmenter le taux de sucre de Tantie, qui, assez agacée, n'a pu s'empêcher de lui demander quel était l'objet de cette quête frénétique.

« Qu'est-ce qui te prend de bondir sur le dictionnaire comme un lièvre en fuite ? Qu'est-ce que tu cherches ?

— Je cherche le mot "gibbon" ! dit-il en articulant avec soin ce mot mystérieux.

— Gibbon ?

— Oui, parfaitement.

— *Starfoullah*[1] ! Et pourquoi ça ? D'où te vient cette fièvre ?

— J'ai été interpellé par la police tout à l'heure, sur la place de la mairie de Vitry, ils ont vérifié mes papiers, comme d'habitude, contrôle de routine, quoi... bon, et puis alors, quand ils m'ont laissé repartir, ils ont dit en riant entre eux : "Allez va, gibbon !" Je voudrais seulement savoir de quoi ils parlaient car je ne connais pas ce mot.

— Et alors, qu'est-ce que ça veut dire ?

— Attends un peu, je suis à la page du F. »

Il n'a pas voulu lire la définition jusqu'au bout. « Espèce de singe anthropoïde d'Asie ne possédant pas de queue, à la face noire très large, il grimpe avec agilité aux arbres grâce à ses bras extrêmement longs... »

Papa Demba a refermé le dictionnaire de la langue française dans un soupir qui contenait à lui seul pas mal d'autres histoires de ce genre.

Puis il a quitté la pièce. Tantie Mariatou a dit alors : « Bon, voilà, tout ça pour ça ! C'est pour une bêtise pareille que tu as transpiré de tout ton corps... Dis-moi ce qu'il a gagné à écouter ces âneries ? »

Ce à quoi Papa Demba répondit de l'autre bout de l'appartement : « Je n'ai rien gagné comme je n'ai rien perdu, mais ils m'avaient habitué à des choses plus recherchées, c'est tout ! »

Papa Demba, le gibbon en question, est professeur de mathématiques dans un lycée à Vitry-sur-Seine et il se fait interpeller un peu trop souvent selon moi. Quand les keufs lui demandent d'où il sort, il répond

---

1. « Que Dieu nous préserve ! » en arabe.

qu'il sort du lycée parce qu'il est professeur. Alors voulant la jouer fine, ils ajoutent : « de sport ? »

Tantie Mariatou est allée rejoindre Papa Demba. « Écoute-moi bien ! Monsieur le professeur Demba N'Diaye, fils de Diénaba N'Diaye et de Yahia N'Diaye, toi la gloire du village de Mbacké, ce n'est pas digne de toi d'accorder de l'importance à un mot que t'enseigne le visage rose à casquette bleue ! Ne les écoute pas, *kou yinkaranto* [1] ! »

J'aime quand elle monte sur ses grands chevaux. Elle a dit cela en se tenant la taille d'une main et en remontant son boubou de l'autre. Elle ressemblait à l'un des personnages du programme comique *Les Guignols d'Abidjan* que Tantie adore regarder. Ensuite, elle a mis un peu de musique – Prince pour ne pas changer – et elle a fini de me coiffer sur un rythme endiablé.

Je suis maintenant au Café des Histoires, un peu au-delà de la porte de Choisy. J'y suis entrée tout bêtement parce que le nom me plaisait bien. J'ai pris avec moi mon petit carnet à spirale et je me suis installée au fond de la salle sur la banquette, comme Linda et Nawel. J'ai commandé un café serré à la serveuse sympathique et lui ai emprunté un stylo. Je n'ai jamais tenu de journal parce que je trouvais ça très con et égocentrique. Je préfère inventer des histoires, au moins c'est marrant à relire.

Il y a pas mal de gens qui écrivent, en vérité. Même Linda écrit quand elle est dégoûtée. Le jour où elle a appris que son mec l'avait trompée, elle a écrit au moins quinze pages, ça s'appelait *Pérégrinations*

---

1. « Ces imbéciles ! » en sonninké.

*d'une cocufiée brutale.* Elle s'était tapé un vrai délire ce jour-là, je m'étais carrément inquiétée pour elle. Ensuite, elle les a déchirées et on n'en a plus jamais parlé. Si je remettais ça sur le tapis, je pense qu'elle aurait honte.

La serveuse sympathique, qui se fait appeler Josiane, m'a apporté mon café serré avec le genre de sourire qui donne envie de revenir même si le petit noir est dégueulasse. Curieuse, elle m'a demandé ce que je pouvais bien écrire avec cet air si concentré. Alors je me suis inventé toute une vie, je me suis imaginé être quelqu'un d'important, pour voir ce que ça faisait dans les yeux d'une personne que je ne connaissais pas. Je voulais simplement savoir ce que ça procurait comme sentiment d'intriguer les autres et j'ai décidé que Josiane serait mon cobaye dans cet exercice idiot.

« Tu fais tes devoirs ?

— Ah non pas du tout...

— Ah bon. Alors qu'est-ce que t'écris comme ça ?

— J'écris des nouvelles qui sont publiées chaque semaine dans un magazine.

— Vraiment ? C'est bien, ça... Et c'est quel genre de nouvelles ? Des nouvelles d'amour ? Des histoires de crimes passionnels ? Parce que moi, c'est ce que j'adore lire, je connais tous les bouquins de Pierre Bellemare quasiment par cœur... Et puis aussi, tous les mercredis, j'achète le *Détective*, je sais pas si tu connais, c'est plein d'histoires sordides, d'assassinats, de viols, de gosses enfermés dans des placards. Si tu veux y jeter un coup d'œil, il y a les dix derniers numéros posés sur le bar. Mon boss voudrait que je les enlève de là parce qu'il dit que ça pourrait donner de mauvaises idées à notre clientèle, mais les gens les demandent, ils aiment bien. Et comme je dis, ceux qu'on trouve accoudés au bar ici, bien souvent c'est ceux qu'ont pas grand-chose à dire, alors ça leur donne des sujets pour bavarder. T'es pas d'accord ?

— Si, si, vous avez sûrement raison...

— Oh mais tu peux me tutoyer et m'appeler Josiane ! Je m'appelle Josiane Vittani et je travaille ici depuis au moins dix ans. Moi, tout le monde me connaît dans le coin !

— Moi c'est Stéphanie Jacquet, mais je signe tous mes articles Jacqueline Stéphanet, c'est pour garder l'anonymat.

— Ravie, Stéphanie, dit-elle en me tendant sa main pleine de bagues.

— Enchantée, Josiane !

— Alors si c'est ni des nouvelles d'amour, ni des nouvelles de crimes, c'est quoi ?

— C'est plutôt des nouvelles sociales, je dirais. Des histoires de gens qui galèrent parfois parce que la société ne leur a pas donné le choix, qui essaient de s'en sortir et de connaître un peu le bonheur.

— Et ça intéresse les gens, ça ? »

Bonne question, Josiane. Je l'espère, au fond, mais j'aurais quand même dû te raconter que j'écrivais des histoires d'amour, d'osmose et de trahisons. Ça, c'est sûr que ça intéresse les gens. Mais l'histoire que j'ai envie d'écrire ressemblerait à ça :

*On serait en 1960, par un bel après-midi ensoleillé. Un* HOMME *viendrait chercher une* FEMME. *Ils auraient rendez-vous.*

*Tandis qu'il serait en train de garer sa Vespa en bas de chez elle, elle serait en train de l'épier par la fenêtre*

85

de sa salle de bains en se disant tout bas : « Comme il est beau ! » Elle se poudrerait le bout du nez une dernière fois avant de descendre le rejoindre. Lui serait ravi de la voir, elle lui aurait énormément manqué ces derniers jours et on le devinerait à la tache sur son jean. Alors ils s'embrasseraient fougueusement. Puis ils seraient montés tous les deux sur la Vespa et auraient pris la route. Une brise légère leur caresserait le visage et ils se diraient toute la grandeur de leur amour.

Arrivés au rond-point du centre commercial, un AUTRE HOMME les intercepterait soudainement. À son visage fermé, on saurait tout de suite que c'est lui le méchant de l'histoire. Il dirait un truc du genre : « Hey ! Vous deux ! Arrêtez ! » Alors la jeune femme s'angoisserait tout à coup et dirait quelque chose du style : « Oh ! Merde ! Putain ! C'est mon connard de frère ! » Là-dessus, une bagarre terrible éclaterait entre le frère et l'Homme, tous les coups seraient permis, les coups de pute, les coups de crasse, les coups de Trafalgar...

Le frère prendrait soudain l'Homme par le cou et lui dirait : « Écoute-moi bien, fils de lâche, c'est la dernière fois que je te vois tourner autour de ma petite sœur, t'as compris ? » Et puis il s'adresserait à sa pauvre sœur : « Et toi espèce de traînée ! Plus jamais je veux que tu fréquentes un Noir, sans papiers, musulman, orphelin, au chômage, avec un casier judiciaire ! Je te tuerai, sinon, petite catin ! » Alors elle essaierait de se défendre : « Mais je l'aime ! » Et le frère, têtu, répliquerait : « Je m'en fous ! » Alors les deux amoureux seraient séparés par le vilain frère militant du Front national, mais l'Homme amoureux et vaillant jurerait de retrouver sa belle...

86

La morale de l'histoire, il faudrait qu'elle soit vraiment cruche, du genre l'amour n'a ni couleur, ni religion, ni numéro de sécu... Je me suis plongée dans ma bulle et c'était très agréable. Josiane m'offre l'expresso et m'invite à revenir quand je veux. Je pense que le Café des Histoires deviendra mon quartier général. J'y reviendrai avec mon petit carnet volé au Leclerc de l'avenue, ou avec mes copines, ou avec Tonislav s'il se décide à me rappeler. Je n'aurais jamais cru que j'aurais flashé un jour sur un Yougo clandestin avec un chicot en argent.

beaucoup de changement
le racsisme par rapport

couple mixte

double medition

← ——— possibilité,
hypothétique

hypotetique,
son rêve d'être ecrivain

# Rien ne sert de courir
## si c'est pour rattraper le guépard

« Où tu vas encore ?

— Je sors.

— Te fous pas de moi, je le vois bien que tu sors, alors arrête de faire le malin. Réponds à ma question, Foued, où tu vas ?

— Je vais à la cave jouer à la console avec les autres. Je reviens dans une demi-heure...

— Qui c'est les autres ?

— Pffff, t'es chiante, les autres c'est comme d'hab : Abdoullah, Bensaïd, Hassan et puis les frères Villo, Nikolas et Tomas. Je comprends même pas pourquoi tu joues la relou, eux ils rendent des comptes à personne...

— Je t'ai déjà dit que j'aimais pas que tu traînes avec eux, ils font que t'engrainer[1], c'est des mauvaises fréquentations, ils sont cons et tu vas devenir pire qu'eux...

— Leur mère elle dit pareil sur moi.

— Bon allez, casse-toi, et j'espère que c'est pas pour aller regarder vos DVD de boules, bande de petits dégueulasses.

— Mais n'importe quoi, j'ai pas besoin de des-

---

1. « Envenimer ».

cendre jusqu'à la cave pour ça, j'ai une télé dans ma chambre, si j'ai envie de me...

— Aaah ! Vas-y, bouge ! Allez, dégage ! Me raconte pas ta vie, espèce de petit porc. Tu te sens pousser des ailes parce que t'as eu seize piges ? N'oublie pas que t'as pissé au lit jusqu'à huit ans et que 8, c'est seulement la moitié de 16 ! Et n'oublie pas non plus qui a nettoyé ton petit carambar tout pisseux à cette époque-là ! »

Là-dessus, il a cavalé comme un fou à travers le couloir de l'appartement, enfilé sa paire de baskets, éclatant de son rire fourbe. Cette crotte se marrait à l'idée d'avoir pu me dégoûter de lui et il s'est barré en emportant sous le bras ses jeux de foot et de combat. Quand même, ça ne risque pas que je sois dégoûtée de mon seul frère que j'ai élevé depuis qu'il est tout bébé. Par contre, plus il grandit, plus j'ai envie de le gifler chaque matin, ce *chétane* [1]. En plus, il se la joue à fond car il est complètement conscient de son pouvoir de séduction. C'est vrai que Foued est un très beau garçon, il a une jolie peau mate, des yeux noirs malicieux, de belles dents, un petit corps raisonnablement bien fait pour son âge et, règle d'or chez lui, été comme hiver, les cheveux tondus presque à ras. Et si je lui demande pourquoi il ne les laisse pas pousser un peu, il me répond :

« Si je laisse pousser mes cheveux, ça fait dégueulasse. Avec mes cheveux crépus d'Arabe, on dirait que j'ai une vieille moquette sur le crâne ! C'est pour la street credibility. »

Pour ses seize ans, je lui ai permis de se percer l'oreille mais il a fallu qu'il insiste. Il était motivé, ça

---

1. « Diable » en arabe.

c'est sûr. Il rentrait moins tard, il a amélioré ses notes à l'école et, parfois même, faisait la vaisselle à ma place.

« Tu veux que je passe un coup de chiffon, Ahlème ?

— Ahlème qui ?

— Ahlème ma sœur que j'aime de tout mon cœur.

— Mais encore...

— La plus sympa, la plus intelligente et la plus belle gosse de tout le quartier de l'Insurrection !

— Bon ça va, c'était pas mal mais je trouve que t'en as fait un peu trop quand même sur ce coup-là, t'as abusé. T'as mis ta fierté au fond de ton zerk, je vois que tu le veux vraiment ton piercing, toi !

— Ouais, je le veux et je l'aurai, quoi qu'il arrive !

— T'es bien sûr de toi, dis donc...

— Enfin, si ma sœur chérie accepte que je le fasse, bien sûr.

— Voilà, j'aime mieux ça... »

J'ai donc fini par accepter. À contrecœur certes mais j'ai accepté. Quand même, il méritait d'être récompensé pour tous ses efforts. Le jour où il est revenu avec son diamant à l'oreille, je l'ai mal vécu, je l'avoue. J'ai eu du mal à l'avaler. Ça me gêne, cette idée que mon petit frère ressemble à tous ces chanteurs de R'n'B carrément moins masculins que moi.

Et encore, je n'ai pas cédé sur tout. Foued voulait qu'on aille au Leclerc ensemble et que je lui achète une teinture blonde L'Oréal Excellence Crème. Alors ça mon bonhomme, hors de question. Je préfère encore qu'il se fasse tatouer un scorpion sur les abdos comme Joey Starr, ça me traumatiserait moins.

C'est qu'il prend soin de lui, ce petit con. Le matin c'est un enfer, il a tout un rituel, il se rue dans la salle de bains. Il y passe des heures. Il ruine tout son argent de poche et la bourse du lycée en fringues et en crèmes. Je lui dis toujours que c'est honteux pour un mec de son âge. La génération de mon frère, c'est la génération « mec light », ce qui veut dire dans leur langage mec frais, beau gosse... Et non seulement Foued est un vrai light, mais il ne traîne qu'avec des light. Leur devise c'est : « Light sinon rien. » Et lorsqu'ils passent devant des jeunes filles, des *djoufs*, comme ils les appellent, et qu'ils s'amusent à faire les paons, elles s'extasient devant eux : « Waw c'te light, c'te mec frais ! », ce qui ne fait que gonfler leur narcissisme anormalement surdéveloppé.

Mon frère est tellement crâneur que, par moments, je pourrais le cogner. Son histoire de teinture blonde, j'ai trouvé le coup un peu fort. Influencée par les livres de psy que Nawel me prête de temps en temps, je lui ai même dit que s'il ne savait plus qui il était, s'il se posait des questions sur ce qu'il ressentait d'étrange, on pouvait en discuter. Il m'a répondu en rigolant : « T'inquiète, j'suis pas pédé, qu'est-ce que tu crois ? »

Les cheveux oxygénés, c'est la mode depuis quelques années. À l'approche de l'été, on voit plein de têtes blondes surgir de nulle part, une vague de poussins qui se promènent dans le quartier. Ça peut faire un style « fresh-groovy-smooth-dans le coup », mais ça peut faire peur aux enfants en bas âge aussi. C'est un peu à double tranchant. Je crains que Foued ne fasse des ravages plus tard. C'est mon petit frère, c'est moi qui l'ai élevé mais je pense qu'il sera un vrai salaud avec les filles. Je le sens bien comme ça. Le téléphone sonne beaucoup plus ces temps-ci, et j'entends régulièrement des voix de petites pouffes qui veulent lui parler.

Aujourd'hui, j'ai dû arbitrer malgré moi un match de ping-pong, le genre matchs pros, ceux avec les Chinois super-vifs qui tirent tellement vite qu'on a du mal à suivre la balle. Deux gamines qui appelaient à tour de rôle, elles s'étaient passé le mot j'ai l'impression, sauf que Foued n'était pas là à ce moment-là. J'ai craqué assez rapidement, l'une des deux s'est permise de me raconter sa vie et je l'ai envoyée balader. J'ai été sèche, c'est vrai, mais en même temps, elle prenait sévèrement la confiance.

« Excusez-moi, c'est encore Eva, j'ai déjà appelé tout à l'heure pour...

— Oui, je m'en suis rendu compte que t'avais déjà appelé, tu m'apprends rien, là. Qu'est-ce que tu veux encore ?

— Ben... je voulais savoir si Foued était revenu ou toujours pas ?

— T'as appelé y a dix minutes à peine et je t'ai dit qu'il rentrait dans une demi-heure environ, vrai ou faux ?

— Heu... vrai.

— Alors si tu sais compter jusqu'à trente, il rentre dans environ vingt minutes, donc tu seras gentille d'arrêter d'appeler parce que là, ça commence à bien m'emmerder.

— T'es sa sœur ?

— Oui, exact, sa sœur, pas sa secrétaire.

— Est-ce qu'une fille qui s'appelle Vanessa appelle aussi chez vous ?

— Je t'en pose des questions ? On se connaît pas, je suis pas copine avec toi, j'ai pas ton âge ! Est-ce que je te demande la couleur de tes strings, moi ? Y a pas de Vanessa qui appelle ici et bientôt plus d'Eva non plus.

— C'est pas la peine de me parler comme ça, j'appellerai plus.

— Bonne nouvelle, salut. »

J'avais oublié comme c'était pénible d'avoir seize ans. La deuxième pouffe a téléphoné quelques minutes après. Elle s'appelait effectivement Vanessa. C'est bien un prénom de petite pouffe, ça. Je lui ai à peine laissé le temps de se présenter que j'avais déjà raccroché le combiné.

Je profite de l'absence de Foued pour faire un peu de rangement dans sa chambre car il n'apprécie pas tellement mes intrusions dans son « secteur », comme il a l'habitude d'appeler cette pièce. Erreur fatale. Dis-moi le bordel dans ta chambre, je te dirai qui tu es. Eh bien je peux vous dire que Foued est un petit enfoiré inconscient. Pensant simplement ranger le tiroir plein à craquer de choses inutiles, j'y trouve des paquets de préservatifs multicolores. Je vois que Monsieur ne se refuse rien. M'apprêtant à trier les vêtements en fouillis dans le placard, j'en sors trois grands sacs-poubelle contenant des sacs à main pour femmes, Lancaster, Vuitton, Lancel et j'en passe... Dans une boîte à chaussures sous le lit je trouve des liasses de billets. Pas deux billets, pas trois, pas dix, pas vingt non plus. Des liasses.

Je n'y crois même pas quand je découvre tout ça. Je m'effondre. C'est impossible que ce soit à lui. Mais si, c'est sûr que c'est à lui.

La première idée qui me vient en tête, c'est de prendre le tout, de le foutre dans la cuvette et de tirer notre bonne vieille chasse d'eau. Quant aux sacs, je voudrais les brûler sur le terrain vague derrière la colline. Mais ce genre de conneries de justicier masqué, c'est ce que l'on voit dans les films américains moralistes où l'honnêteté l'emporte sur tout. Seulement là, c'est la vraie vie, et dans la vraie vie, je n'ai pas tellement envie que mon petit frère se fasse tirer dessus. Donc je ne touche à rien avant de savoir.

J'ai préparé le repas pour le Patron, je lui ai lu le journal, je l'ai écouté parler des parties interminables de dominos auxquelles il jouait chez Lakhdar lorsqu'il habitait rue des Martyrs. Le Patron était très fort, il gagnait à tous les coups, il avait chaque fois les meilleures combinaisons. Les autres l'enviaient, surtout Abdelhamid, qui essayait toujours de comprendre : « Mais, Moustafa, comment diable fais-tu pour tromper l'adversaire et remporter toutes les parties ? Peut-être que tu as une technique spéciale que tu ne veux pas nous faire partager ? Ou alors peut-être as-tu envoûté le jeu de dominos de Lakhdar ? » Rien de tout ça. La seule technique du Patron était de faire confiance à la chance. J'aimerais parvenir un jour à suivre cette philosophie de vie, seulement, dommage pour moi, je ne crois ni à la chance, ni à la confiance. Aujourd'hui, je ne crois plus en grand-chose. Je crois à Allah qui est mon seul guide et aux aides sociales aussi, grâce auxquelles je survis.

Le Patron s'est enfin endormi. Tout est redevenu presque paisible.

L'absence de Foued a duré près de quatre heures, et pas « une demi-heure », comme il me l'avait promis avant de descendre à la cave. Enfin, maintenant, je ne suis plus tout à fait certaine qu'il soit réellement descendu à la cave, je ne suis plus certaine de rien à vrai dire.

Il est entré dans l'appartement, plutôt cool, en sifflotant l'air de la publicité pour les cornichons qui passe tout le temps en ce moment. Il ne sait pas ce qui l'attend, le pauvre, je vais le faire frire comme une merguez. Je le guette, assise sur son lit, dans la pénombre.

« Ahlème ! Ahlème ! T'es où ? Il dort, le Patron ? »

Il pénètre dans la pièce, avance à tâtons dans le noir et appuie sur l'interrupteur. Il sursaute, surpris de me voir là.

« Putain ! Je me suis chié dessus ! Tu m'as fait peur ! Qu'est-ce qui t'arrive ? Qu'est-ce que tu fous ici dans le noir ? »

Je ne réponds rien, je le regarde seulement. J'ai envie de me lever et de le détruire.

« Réponds ! Qu'est-ce qui te prend ? On dirait que t'es possédée ! *Naâl chétane*[1]. »

Je me lève, je l'attrape par le col, je le plaque contre le mur puis je le secoue avec frénésie comme si j'avais face à moi un morceau de chiffon.

« Espèce de petite merde ! D'où elles viennent toutes ces conneries que j'ai trouvées dans ta chambre ?

— De quoi tu parles ? Lâche-moi ! T'es malade !

— Je te lâcherai pas ! Arrête de te foutre de moi en plus ! Tu veux que je te crève ? Tu sais très bien de quoi je parle, connard. Les tunes dans la boîte à chaussures, les sacs à main dans le placard ! Et les capotes dans ton tiroir c'est quoi ? »

Déstabilisé, il me repousse violemment. Je perds

---

1. « Le diable soit maudit » en arabe.

l'équilibre et me retrouve sur son lit. Je me relève et me jette sur lui de plus belle. On croirait que je suis sous cocaïne. L'énergie avec laquelle je le saisis à la gorge m'étonne moi-même. Je lui serre le cou et je me mets à pleurer de rage.

« D'où ça vient je t'ai dit ! Réponds avant que je te tue ! Réponds !

— Arrête ! Arrête, s'il te plaît ! Tu me fais mal...

— Et moi ? Tu crois que j'ai pas mal, moi ? Je me tue pour toi, j'ai tout fait pour toi !

— J'arrive plus à respirer, lâche-moi... »

Le Patron s'est réveillé. Sa voix me tire de ma folie.

« J'arrive pas à dormir ! Éteignez la télévision !

— Dors, Papa ! C'est bon, t'inquiète pas, elle est éteinte, la télé ! »

Je prends Foued par les épaules et le pousse à s'asseoir sur le lit. Il se touche le cou comme pour vérifier que tout est encore en place, que sa tête est bien accrochée à son corps. J'ai dû y aller très fort, il est tout rouge et les yeux lui sont sortis de la figure.

« Pas la peine de t'énerver comme ça, j'vais te dire. L'argent, c'est pas à moi. C'est aux grands, je leur garde, c'est tout... Je te jure que c'est pas à moi, je te jure...

— Comment ça tu leur gardes ?

— Bah ouais, je leur garde. Ils me le passent pour que je leur garde quelques jours et après ils le récupèrent, et en échange, ils me donnent un bifton, ils me laissent cinquante euros, un truc comme ça...

— C'est une blague ? Et les sacs ?

— Ça c'est un des grands qui nous a confié une petite affaire, voilà. »

Je m'assois près de lui – si je reste debout plus longtemps, je meurs.

« C'est-à-dire, une affaire ? Et c'est qui, ces grands ?

— Ça veut dire qu'eux, ils nous passent des trucs et nous on doit les évacuer, on les vend et voilà. Ensuite à la fin, ils nous donnent des tunes. C'est comme ça.

— Comme pour les DVD ?

— Oui...

— Oui... C'est tout ce que tu réponds... Ça t'a pas servi de leçon l'autre fois ? T'es inconscient ma parole ! Et t'as pensé aux keufs ? Si tu te fais serrer ? Ils viendraient faire une perquise à la maison. Qu'est-ce que tu crois mon vieux ? Les grands c'est des enculés, ils se servent de vous comme couverture, t'as pas compris ? Si les keufs viennent ici, tu veux que le Patron crève d'une crise cardiaque, c'est ça ? Et moi aussi par la même occasion ? Putain... J'ai envie de te crever ! Tu manques de quoi ?

— C'est rien, c'est bon. Et les grands, tu les connais pas. Dis pas que c'est des enculés, tu les juges alors que tu les connais pas !

— Qui c'est ? C'est quoi leurs noms ?

— Tu les connais pas, laisse tomber !

— Crache leurs blases je t'ai dit !

— C'est Champs, Cafard, Poison, le Vif, Lépreux, Magnum, que des grands que tu connais pas... C'est la famille, c'est le ghetto.

— C'est eux ta famille, espèce de chien ? Dis-moi, putain !

— Arrête de pleurer, s'il te plaît...

— C'est tout ce qu'il me reste à faire, chialer, je deviens ouf... Mais tu réfléchis un peu ? Ça t'arrive de te servir de ce que Dieu t'a mis dans le crâne en guise de cervelle, hein ? Tu croyais que je me rendrais jamais compte de rien ?

— Putain, et moi ? Tu crois que des fois j'ai pas envie de chialer moi aussi ? Même si je fais comme si de rien n'était, c'est juste parce que je veux pas que tu t'inquiètes pour moi, c'est tout. C'est pas parce que je mange et que je dors que tout va bien. C'est la rue, c'est comme ça. Je suis pas le seul, et encore moi, je fais rien comparé aux autres...

— T'es pas les autres ! Je m'en fous des autres !

— Tu crois que j'en ai pas marre de te voir tafer comme une chienne ? Toujours en train de courir pour gratter de l'argent par-ci par-là. Les habits que je porte, je t'ai menti, on me les a pas donnés, la télé dans ma chambre, on me l'a pas prêtée, en vérité, et la console de jeux, c'est pas celle de Jimmy, c'est la mienne. Tout ça c'est à moi. Je me le suis payé avec MON argent...

— T'as pas honte ?

— Non, j'ai pas honte ! Faut bien se débrouiller, tout le monde fait ça ici. Tu vois pas, toi. Tu crois que tu connais tout mais tu connais rien ! T'es une meuf en plus, c'est pas pareil.

— Ça n'a rien à voir !

— Si, ça a à voir ! Tu comprends pas, c'est la jungle ! Faut les enculer avant que ce soit eux qui le fassent. Ceux d'en haut, les bourges, c'est les lions et nous, ici, on est des hyènes, on n'a que les restes...

— FERME TA GUEULE ! C'EST PAS VRAI ! ARRÊTE ! C'est les grands qui te mettent ces conneries dans le crâne ? Et tu gobes toutes leurs disquettes comme un con ! C'est pas parce qu'ils ont niqué leur vie qu'ils doivent niquer celle des petits. Ils veulent vous faire croire que tout est perdu d'avance, ces bâtards ! On doit se battre deux fois plus que les autres, c'est vrai ! Je le sais ça, alors arrête de croire que tu vas m'apprendre la vie ! Pour qui tu te prends ? Je croyais que tu ferais pas comme les autres... Et l'école ? L'école, c'est pour quoi faire ?

— Mais arrête, tu sais très bien que c'est n'importe quoi ! Toi t'as arrêté à seize ans, alors c'est pas la peine de me faire la leçon. Et les grands, même ceux qui sont allés à l'école, ils ont pas de taf de toute façon.

— Tu veux finir au *habs* [1] ou quoi ? Si tu continues et que c'est ça ton objectif, eh ben tu vas finir par l'atteindre, t'auras ta place au placard, t'en fais pas ! Comment je fais moi ? Hein ? Je trime, je me démerde. C'est trop facile ce que tu fais ! T'es faible. Ton argent, il est dégueulasse. Tu vas rendre tous les trucs. Tu vas rendre l'oseille et dire aux grands que tu veux plus faire ça. Si tu le fais pas toi-même, c'est moi qui irai les trouver et le leur dire. T'as entendu ? Tu me connais, tu sais bien que je suis capable d'aller les voir, j'ai des couilles, moi, alors mieux vaut pour toi que t'y ailles toi-même !

— Je peux pas faire ça, je peux pas...

— Tu vas le faire ! Y a pas de négociation possible !

— Je vais avoir des problèmes !

— Tu risques d'avoir des problèmes encore plus gros si tu le fais pas. Et les capotes ? C'est quoi ton délire ?

— Ça c'est autre chose, c'est ma vie. Si t'as un mec je te dis rien, moi !

---

1. « Prison » en arabe.

— J'ai pas le même âge que toi, je te signale ! T'es un sale môme encore, t'es rien qu'un petit merdeux ! Tu veux engrosser une de tes pouffes ? C'est ça ton projet ?

— Je fais attention.

— Ouais, c'est ça... Avec toutes tes tunes dégueulasses t'aurais au moins dû t'acheter un portable, elles arrêteraient de me faire chier à appeler ici, tes petites pouffiasses.

— J'en ai un.

— Ah ouais, dernière nouvelle... C'est la meilleure celle-là. Super ! Tu m'auras vraiment prise pour une conne jusqu'au bout ! J'me barre, je peux plus te voir. Je vais dans ma chambre, c'est mieux. J'aurais jamais cru ça, j'arrive plus à dicave mon propre frère...

— Arrête de te prendre pour ma mère ! T'es pas ma mère !

— LA FERME ! LA FERME ! »

Là, je n'ai pas pu m'empêcher de lui coller la baffe de sa vie, la claque finale, l'ultime tarte. J'ai giflé de toute mon âme, les dernières forces que j'avais y sont passées. Je lui ai presque ôté le couvercle, un peu plus et la tête s'envolait.

Je ne peux même plus le regarder dans les yeux. Je me lève et je vais dans ma chambre, hors de moi. Je m'étends sur mon lit sans même prendre la peine de me foutre en pyjama en espérant m'endormir vite et très longtemps.

Il me vient alors en tête une chanson du groupe IAM que j'écoutais en boucle il y a presque dix ans :

*Petit frère a déserté les terrains de jeux, il marche à peine et veut des bottes de sept lieues. Petit frère veut grandir trop vite, mais il a oublié que rien ne sert de courir, Petit frère...*

Ouais, rien ne sert de courir, « surtout lorsqu'il s'agit de rattraper le guépard... », dirait ma chère Tantie Mariatou.

# Histoire d'en bas

Je suis allée chez Tantie, abattue. On aurait dit une serpillière usée. Je lui ai raconté l'histoire en pleurant, je faisais vraiment peine à voir. Elle m'a préparé un café avec le percolateur que Papa Demba lui a offert pour son anniversaire – depuis l'acquisition de cette machine elle fait des cafés à longueur de journée. Elle m'a ordonné de me calmer et de prendre le temps de respirer un peu, parce que d'après elle, je ressemblais à un Kenyan en fin de marathon.

Tout ce que je rapportais à Tantie de la dispute semblait la méduser, elle y croyait à peine. À un moment, j'ai même suggéré d'envoyer Foued au bled pour qu'il se calme, mais visiblement, c'était une idée absurde.

« Ce n'est pas bien, il ne connaît pas ce pays, il ne faut pas qu'il le découvre dans une histoire de punition. Toi-même, tu n'y as pas mis les pieds depuis au moins dix ans, non ?

— Ouais... T'as raison. Je sais plus quoi faire. Au début, ses conneries, je me disais, c'est normal. C'est pas très grave, c'est de son âge. Mais là il est déjà à courir après l'argent. J'y comprends rien.

— S'il continue et qu'il se fait attraper par les policiers, ils ne lui feront pas de cadeaux, il est grand maintenant. Tu as entendu parler de la double peine ?

— Je sais, Tantie. Ça m'énerve parce qu'il pige pas. Il voit pas dans quoi il s'engouffre. Il aime trop la tune.

— Il a été entraîné dans le cercle vicieux, c'est tout, que veux-tu. Il ne faut pas le lâcher. Sois derrière lui. Parle avec lui.

— Il est pas con. C'est un gentil mec, mon frère, mais il veut être un grand, il veut être riche. Ça, j'aurai beau parler, je pourrai rien y faire. Plus il en aura, plus il en voudra.

— Comme on dit en Afrique, "l'argent appelle l'argent".

— Je te jure...

— L'argent appelle l'argent mais les riches appellent la police. »

Elle a réussi à me décrocher un sourire. Sa fille, Wandé, est entrée dans le salon à cet instant avec, dans les bras, son petit cahier d'écolière qu'elle a enveloppé soigneusement dans du papier kraft.

« Ahlème, tu peux m'aider pour mes devoirs de français s'il te plaît ? J'ai des problèmes avec les conjugaisons... »

Tantie a réagi illico, je n'étais pas en état.

« File faire tes devoirs toute seule dans ta chambre, débrouille-toi ! Tu crois qu'on n'a pas suffisamment de problèmes ici pour que tu nous en amènes encore ? »

Tout le reste de la soirée, Tantie Mariatou a essayé de me dissuader d'aller en bas de l'immeuble pour parler aux grands. Ça ne me ressemble pas de rester les bras croisés à attendre qu'il pleuve, mais en même temps, elle n'a pas tort, ce ne serait pas une bonne chose de rentrer là-dedans.

Je suis calmée, je remercie ma chère Tantie d'être toujours là pour moi et je m'en vais. Je suis comme une gueuse avec mes claquettes du marché et ma robe légère, celle qui me sert de pyjama, qui est déchirée à la cuisse. J'ai affreusement mal au crâne. Les yeux rouges et enflés, j'ai l'impression d'avoir bu des litres d'alcool. Je me sens comme une cuite qui marche.

Et évidemment, au lieu de rentrer chez moi, je descends.

Je me rends directement au bloc 30, le lieu à haut risque du quartier, là où les gens ont peur d'aller normalement, là où même la BAC[1] redoute de passer quand il y a du monde qui traîne.

J'entre d'un pas hésitant dans le hall mal éclairé. Il y a trois types adossés au mur. Je reste pétrifiée quelques instants devant eux sans savoir quoi leur dire ou du moins sans savoir par où commencer. J'arrive à peine que l'odeur du shit m'étouffe déjà et, mélangée à celle du local poubelles grand ouvert, j'ai peur de me mettre à gerber. Le premier bonhomme, celui qui a sa tête juste en dessous de l'inscription « Fuck Sarko », s'adresse à moi.

« Tu cherches quoi ? Tu fais quoi, là ?

— Je cherche des gens.

— Tu veux quoi ?

— C'est pour mon petit frère.

— C'est qui ton petit frère ?

— Foued il s'appelle.

— Ah, le petit rebeu, l'Orphelin ?

— Son nom c'est Foued.

— Tu veux voir qui ?

— Magnum, Lépreux, Cafard ou je sais pas quoi... »

Il est bizarre ce type, il semble défoncé et il me regarde de haut en bas avec un drôle d'air. Je ne sais

---

1. Brigade anti-criminalité.

pas ce qui m'a pris de venir m'engouffrer ici à une heure si tardive, ils vont penser que je suis venue chercher des choses louches.

Alors, un des mecs du fond baisse sa capuche, et s'avance vers moi. Au moment où il se met dans la lumière dégueulasse du néon, je reconnais Didier, le fils du marchand de glaces, un garçon avec qui j'ai grandi, avec qui j'ai triché à l'école, avec qui j'ai volé dans les supermarchés, à qui j'ai roulé mon premier patin, même. Je suis abasourdie. Lui aussi semble stupéfait.

« Non ! À l'ancienne ! Ahlème la Bastos ! Qu'est-ce que tu fous ici ?

— Et toi, qu'est-ce que tu fous ici ? Je t'ai pas revu depuis des piges et des piges.

— J'étais au placard... »

Ça fait mauvais scénario de téléfilm, ce qui m'arrive dans ce bloc, mais ça s'est passé exactement comme ça. Il m'a collé alors une bise gorgée de fraternité et de bons souvenirs. Tout cela devient très délicat, je ne sais plus comment aborder le problème maintenant.

« Tu la connais cette *djouf*, Cafard ?

— Ouais ouais, je la connais, t'inquiète. »

Comme si ça ne se voyait pas. En plus, je déteste qu'on parle de moi à la troisième personne quand je suis là.

« Alors c'est toi qu'on appelle Cafard ?

— Ouais. »

Il baisse la tête un peu gêné.

« Carrément... et quand les gens t'appellent "Cafard", tu leur réponds ?

— Ben ouais... j'sais pas.

— Ça vient d'où ce surnom ? »

Il se met à rigoler et les autres types rigolent aussi. L'un d'eux demande des feuilles à rouler à Didier. Il en sort deux de sa poche, et les lui tend, un peu honteux devant moi.

« "Cafard", c'est un délire t'as vu, ça fait long-temps qu'on m'appelle comme ça... Parce que ces bâtards-là, un jour, on se chambrait tout ça et y a un petit cafard qu'est sorti de mon blouson, t'as vu. C'est les apparts, ici... depuis qu'ils envoient plus les mecs qui foutent le produit, y en a des tas. Après, voilà, c'est parti de là... Mais ça veut pas dire que j'ai des insectes plein les poches, j'suis pas un crasseux non plus, c'est juste un délire. Eux aussi ils ont des blases du ghetto : lui c'est Chien errant, et l'autre là-bas, c'est Escobar.

— Escobar ? À cause de Pablo Escobar ?

— Ouais, voilà, mais du genre... En vérité il s'ap-pelle Alain, ce gros mytho ! dit-il en se marrant. T'as vu comment ça nique la légende ! Alain mon frère !

— Ta race, enculé, tu t'es pas vu sale chien, tu t'appelles Didier ! réplique l'autre illico.

— Ben Alain c'est pire ! Et ta mère à toi elle s'ap-pelle Bertha.

— Ferme ta gueule, j'ai pas parlé de ta mère moi, reste paisible aussi...

— Il a raison, c'est pire ! C'est vrai ! »

L'autre type qui était tranquille jusqu'alors se met à engrainer à son tour.

« Alors toi, Mouloud, parle même pas, avec ton blase d'épicier.

— J't'encule.

— C'est moi qui t'encule...

— Euh... Excuse Didier, je peux te parler d'un truc ? »

On se met à l'écart en dehors du bloc. Il fait frais ce soir. Je ne me suis pas couverte, et je tremble un peu.

« Faut pas avoir peur, y a quoi ?...

— J'ai pas peur. »

Ce soir, ce n'est pas à Cafard que je m'adresse mais à Didier. Je lui explique la situation, avec des mots simples, avec ce qu'il faut de colère et d'indignation. Je lui dis toutes mes inquiétudes et mes peurs, je lui dis comment mon frère et moi, nous marchons à cloche-pied dans ce bled, car on doit se faire discrets, on n'est pas nés là. Lui aussi a dû entendre parler de ces histoires d'expulsions. Ce qu'on raconte est la réalité, ce n'est pas une légende. Si Foued ne se tient pas tranquille dès maintenant, les flics seront sans pitié avec lui. Et mon laïus, ce n'est pas seulement pour mon frère. Je demande que Didier et ses potes ne gâchent pas la vie des petits comme ils ont gâché la leur. Je sais que je ne vais pas changer le système, c'est le bizness, mais Foued n'a que seize ans, putain.

Didier n'est pas une ordure. Il a dû faire des trucs d'ordure, c'est certain, mais les ordures ne traînent pas dans le hall du bloc 30. Les vrais pourris, assis dans des fauteuils confortables, décident *qui* va traîner dans ce hall du 30. Ce sont ceux-là qui peuvent décider de bouter hors de France un mec comme Foued pour une connerie de trop. Didier, il peut le comprendre, ça. Il avait des envies, des rêves et ce genre de trucs... Il ne se souvient sûrement pas de me l'avoir dit, il voulait faire du bateau, ceux avec les voiles blanches, et ça, depuis l'époque des glaces italiennes que son père nous donnait en cachette des autres enfants. Seulement, Didier, il pensait qu'il ne pourrait jamais faire du bateau parce qu'à Ivry, il n'y a pas la mer.

Lorsque l'on entre dans le détail, je m'aperçois qu'il est dans toutes les histoires auxquelles mon frère est mêlé. Il s'excuse, jure sur la tête de sa mère qu'il est désolé, me promet qu'il ne savait pas que Foued était mon frère. Je me demande si ce ne sont pas des paroles en l'air, c'est peut-être simplement le spliff qu'il fume qui lui fait dire tout ça. Mais je crois qu'au fond, il est sincère.

« On va le tenir à distance, ton frérot, t'as raison. Je te garantis, je ferai attention. Tout le monde sait ici qui j'suis, moi, et t'inquiète, ils écoutent. Cafard, c'est pas n'importe qui. Et même toi, si t'as besoin, je suis là. Je te jure que je veillerai sur lui, la vie de ma race, je te donne ma parole, Ahlème. Personne l'emmerdera, personne le mêlera aux affaires. Désolé. Je savais pas que t'étais la sœur de l'Orphelin...

— Et arrêtez de l'appeler l'Orphelin, il a un prénom.

— C'est cheum [1]... d'accord. Excuse. »

Je repars, morte de froid. Nous sommes convenus que je reviendrai dès demain à la même heure pour apporter à Didier l'argent et toutes les merdes qui traînent chez moi. Je le remercie chaleureusement et je remercie Dieu aussi, je lui rends grâce d'avoir eu affaire à Didier plutôt qu'à l'autre chelou qui se fait appeler Escobar, parce que celui-là, pour mettre Foued à l'abri du biz, il aurait été capable de me demander une contrepartie, un truc dégueulasse en échange. Je suis prête à tout pour mon frère, même au pire, donc je suis contente de ne pas avoir été confrontée à ça.

---

1. « Moche » en verlan.

# Celle qui s'cssouffle

Le téléphone a sonné. J'ai décroché et aussitôt j'ai reconnu la voix de Tonislav. Son simple « allô » m'a semblé être un enchantement, mieux, une bénédiction. Il m'a donné rendez-vous à Châtelet-Les-Halles au pied de la fontaine, sur la place Carrée. Pour la première fois de ma vie, j'ai compris ce que pouvait bien signifier « avoir besoin de quelqu'un ». Pourquoi lui particulièrement ? Ça, je n'en sais rien du tout. Je suis toute bouleversée, mon cœur bat à dix mille à l'heure rien qu'à l'idée de le voir. Mes genoux tremblotent, j'ai l'impression d'être une ado paumée qui va à un premier rancard. Je dois faire peine à voir.

En allant le rejoindre, assise dans mon RER, je me dis que je la jouerai au culot, en le voyant. Je me donne pour objectif de lui sauter au cou et de lui demander la faveur de me serrer très fort dans ses bras, quitte à le traumatiser et qu'il ne me rappelle plus jamais. Aujourd'hui, sans comprendre vraiment pourquoi, j'ai juste envie de m'abandonner à ce genre de choses que je trouve cruches d'habitude. Je l'autoriserai à déceler les faiblesses que je me tue à cacher au monde entier, et à moi la première d'ailleurs. Et tant pis s'il flippe. Ça voudra juste dire que c'est un con comme les autres et qu'il n'en valait pas la peine au fond. Je ne me suis pas mise sur mon trente et un cette fois-ci. Je suis seulement moi et je me fiche de tout le reste.

Arrivée sur la place Carrée, je m'assois sur les marches près de la fontaine, je suis à l'heure mais je ne le vois pas.

Il y a foule ici. Ça me fait drôle de me trouver au milieu de cette effervescence, que j'observe comme si je n'étais pas là. Je regarde les gens passer, courir, flâner. J'ai le sentiment étrange que tous sont heureux sauf moi. On dirait qu'ils vivent, profitent, et me balancent leur joie à la figure, sans aucune pudeur. Évidemment, je sais que c'est faux mais à cet instant précis, j'ai du mal à m'en convaincre. C'est comme si tous ces gens avaient des tas de rêves dont moi je serais privée. Ils sont là en train de se balader, de me narguer. Je sais ce qu'ils essaient de faire, ils veulent me faire enrager. Eh bien, ils ont réussi.

En ce moment, j'ai l'impression de perdre au jeu du lancer de dé. On jette le dé sur le tapis des dizaines de fois en y croyant très fort à chaque coup. On l'imagine déjà s'arrêtant sur le glorieux six, mais rien à faire, le score est toujours petit. Un, deux ou trois à la rigueur, jamais plus. On a beau le secouer dans le creux des mains, souffler dessus, fermer les yeux et chuchoter une prière, toujours rien. Je crois qu'au bout de tant d'échecs, on a le droit d'être découragé.

Je me sens comme un enfant puni. Je suis dans un coin de la place Carrée et j'espère juste une chose : voir arriver un inconnu et me blottir dans ses bras. Je suis dans un délire complet, c'est carrément un truc de ouf.

Un groupe de musiciens mexicains a installé son

matos sur la place. Ils ont commencé à foutre leur système sur pied tout en finissant les derniers petits réglages. Ils se sont posés à quelques mètres de moi et je les ai trouvés super-rigolos avec leurs gigantesques sombreros. J'ai pensé que les écouter me permettrait de me distraire un peu. Je n'ai pas eu de mal à deviner ce qu'ils s'apprêtaient à jouer. En général, ça commence toujours par « Guantanamera ». Dès qu'ils se mettent à faire les premières notes, je reconnais l'air et je me dis : gagné, c'était pas difficile à trouver. Quelques personnes heureuses se sont attroupées et me bouchent partiellement la vue, tandis que je m'impatiente à attendre un méchant personnage qui se fait sacrément désirer...

Le pire, c'est que je ne peux pas le joindre parce qu'il n'a pas de téléphone. À chaque fois qu'il m'a appelée, c'était depuis une cabine. C'est trop affreux de ne rien <u>maîtriser.</u> Ce mec ne le sait même pas mais il tient les fils de ma marionnette. Je n'ai aucune indulgence pour les retardataires normalement, mais lui, je l'attends. Plusieurs fois, pour me donner du courage, je me suis dit : « Bon, allez, je me tire, j'suis pas une victime pour attendre trente piges un mec que je connais à peine, ça me saoule ! » Mais je ne me levais pas pour autant. Je restais plantée là comme un pauvre clou rouillé. Et durant toute cette douloureuse attente, je ne compte plus les types, y compris des gamins de dix-huit ans même pas finis, qui sont venus m'emmerder, me prendre du feu, me dire que j'étais charmante, me demander si j'avais une minute pour faire ma connaissance...

Avec un cynisme qui venait du fond de mes tripes, je leur ai répondu : « J'ai pas de feu, je suis charmante de dehors mais dedans j'ai le virus du sida, ça t'inté-

111

resse quand même ? » et aussi « Si tu juges que tu peux faire ma connaissance en une minute, c'est que je ne dois pas avoir l'air très intéressante... ».

Ça y est, je vois au loin une silhouette familière qui déambule au milieu de la foule. Il est en train de courir. Il avait simplement du retard, enfin, une bonne heure tout de même... Je commence à sérieusement m'inquiéter de toute cette histoire, non seulement je suis restée, seule, près d'une heure à l'attendre dans le désarroi le plus total, mais en plus, en le voyant arriver, je n'ai même pas l'envie de l'engueuler ou de lui faire une scène. Je veux seulement qu'il m'enlace avec toute la passion du monde. J'ai peut-être vu trop de films à la télé mais je m'en tape, je le tiens, et je décide que je ne veux plus le lâcher. Il s'approche encore et d'un bond, je me lève comme une affamée à qui on tend un quignon de pain et je marche dans sa direction en m'inspirant des plus belles scènes de marche nuptiale du cinéma. En vérité, cet homme est peut-être un escroc sans états d'âme, un assassin, un violeur, un éventreur, ou un type qui charcute ses victimes pour leur voler un rein et le revendre sur Internet... Et moi, je m'avance vers lui, le sourire aux lèvres, les bras tendus et le cœur offert. Là, juste à cette minute, je le réalise pour la toute première fois : « Je suis amoureuse de cet étranger, il peut faire de moi de la confiture. »

Sans que j'aie besoin d'en prendre l'initiative, il m'entoure de ses bras rassurants et me serre fort, ni trop, ni pas assez, juste fort, comme je l'imaginais. Il sent le musc, a plaqué ses cheveux en arrière, une mèche seulement tombe sur son front et puis son souffle que j'ai dans la nuque... tout ça me met la

112

tête à l'envers. On dirait qu'il sait exactement ce que j'attends de lui.

L'après-midi que nous avons passé ensemble fut surréaliste. S'il n'avait pas été obligé de repartir, j'aurais bien passé la soirée avec lui, peut-être la nuit, voire toute ma vie. Il m'a lu les lignes de la main et il m'a inventé une vie. À mon avis, il ne sait pas lire les lignes de la main, pas plus que celles des pieds. Mais je le laissais continuer quand même, c'était agréable, ça me chatouillait la paume.

Et puis juste avant que l'on ne se quitte, il a ôté sa chaîne en argent et me l'a passée autour du cou. Je l'ai embrassé à 100 % de ma sincérité pour le remercier du cadeau. Après, il m'a dit que j'étais une princesse et que c'était légitime qu'une princesse soit traitée en tant que telle.

C'était très joli mais dans ma tête, tout ce que je trouvais à penser, c'était : « T'es gentil, mon coco, mais tu peux toujours dire ça à cette connasse des Assedic, à la vieille de la Caisse d'allocations familiales ou encore au gros boudin que j'avais comme chef la semaine dernière à ma dernière mission intérim au Fournil de Paris, je ne suis pas sûre que tous ces gens partagent ton avis. »

Il est parti bien trop vite à mon goût en promettant de m'appeler dès le lendemain, ce à quoi j'ai cru sans me poser aucune question, sans même avoir la tentation de lui balancer mon légendaire : « Ouais ouais, c'est ça » comme j'ai toujours fait avec tous mes mecs. J'étais sur un nuage... Mon Dieu, s'il te plaît, laisse-moi y rester encore un peu.

## Ça s'en va et ça revient...

Depuis qu'elle s'est rabibochée avec Issam, Linda a un peu disparu de la circulation, elle se fait encore plus rare qu'une éclipse solaire. Quant à Nawel, j'ai l'impression qu'elle est plus scotchée à son gadjo qu'elle ne l'a jamais été auparavant. Je leur parle au téléphone parce qu'elles pensent tout de même à prendre de mes nouvelles, mais j'ai l'impression qu'elles s'éloignent un peu. On ne fait plus tellement de choses ensemble ces derniers temps. Le peu d'oseille que j'arrive à mettre à gauche, je le fume pour les séances de kiné du Patron qui se plaint beaucoup de son mal de dos depuis quelques jours. Je me dis tant pis, je préfère laisser les filles s'amuser, profiter sans moi des beaux jours qui arrivent. En plus ça me fait de la peine qu'elles se sentent coupables chaque fois qu'elles sont avec moi, qu'elles s'en veuillent de dépenser leur argent en se disant que ça me fait envie, même si elles me proposent sans arrêt leur aide.

Avec Foued, on se reparle doucement depuis l'embrouille de l'autre fois. On fait genre, mais je vois bien que c'est du *belâani*[1], comme on dit. Quelques syllabes par-ci par-là, des conneries, comme aller

---

1. « Du style » en arabe.

acheter le pain, changer de chaîne de télé ou descendre les poubelles. Lui, il ne traîne plus tellement dehors, je crois qu'il le vit mal. Ses potes doivent lui faire un peu la tronche, ne plus trop le calculer parce qu'il a été écarté par les grands. Donc, il est souvent à la maison, il ne va même plus jouer au foot à Coubertin.

Ce matin, j'ai reçu une lettre de ma tante Hanan. Chaque fois qu'elle m'écrit, elle n'arrête pas de me tanner pour que je revienne en Algérie avec mon frère et le Patron, en utilisant son procédé préféré : la culpabilisation. C'est chez nous une des bases fondamentales de l'éducation.

*[...] Ta grand-mère est vieille et malade. Qu'attendez-vous ? Qu'elle parte sans vous dire au revoir ? Vous nous manquez énormément. Chaque fois que nous évoquons votre souvenir ici, c'est toute la maison qui pleure, les larmes coulent même sur les murs. Venez nous voir, que nous puissions profiter un peu de vous et réunir enfin toute la famille. Notre sœur, que Dieu ait son âme, vous a laissés orphelins, elle n'aurait sûrement pas voulu que nous soyons séparés si long temps. Nous attendons votre retour avec une grande impatience, ce grand jour, inchallah, où nous fêterons devant Dieu et de bon cœur nos retrouvailles. Mes aînés sont tous mariés, vous n'avez été là pour aucune fête, et ils ont sincèrement regretté votre absence. Quant aux plus jeunes de mes enfants, ils ont grandi et ne se souviennent même plus de leurs propres cousins... Alors si Dieu veut, peut-être que cet été, le destin nous réunira à nouveau. S'il te plaît, Ahlème, peux-tu nous envoyer un colis avec des médicaments pour ta*

*grand-mère, les boîtes bleues comme la dernière fois, parce que tu sais que tout ça est trop cher ici ?*

*Que Dieu t'accorde sa miséricorde, chère Ahlème, tu seras récompensée,* inchallah, *ta cousine Souriya te demande de penser à y mettre deux ou trois soutiens-gorge, de la marque Playtex, les cœurs croisés en dentelle, s'il te plaît, que Dieu te garde, tu sais qu'elle se marie bientôt. Tu as le bonjour de Sabrina et Razika, nos voisines kabyles, celles qui travaillent au salon de coiffure d'Aïn Temouchent, elles aimeraient que tu regardes les prix des sèche-cheveux turbo, elles te promettent de te rembourser dès qu'elles le pourront. Naïma, quant à elle, qui a fêté ses dix-sept ans la saison dernière, te demande quelque chose qu'elle appelle « strings », je ne sais pas ce que ça veut dire mais elle a dit que toi, tu dois sûrement savoir et seulement, pour finir, j'aimerais que tu m'envoies de France la crème contre la vieillesse que je t'ai demandée, je pense que la marque, c'est : Diadermine. Que Dieu vous préserve et vous guide, qu'il vous comble de tous ses bienfaits et qu'il amène la baraka dans votre maison. Prends bien soin de ton petit frère et de ton pauvre père.*

Je me demande si cette lettre m'était vraiment destinée ou si elle aurait dû être expédiée directement au père Noël. Comme d'habitude, ça ressemble plutôt à une liste d'anniversaire en vérité. J'ai l'impression que je ne partage pas grand-chose avec eux, si ce n'est quelques souvenirs. Tout cela me semble bien loin.

Le jour de notre départ, je portais une petite robe bleue cousue par Maman. Je me souviens que je l'avais saoulée pour qu'elle m'en fasse une « qui tourne ».

116

C'est l'oncle Mohamed qui nous a conduits à l'aéroport d'Oran. Il nous a confiés à des hôtesses très maquillées qui ont promis de bien s'occuper de nous jusqu'à l'arrivée à Paris. Ensuite, il m'a serrée très fort dans ses bras. Je crois que c'est seulement à ce moment que j'ai vraiment compris, pendant que sa barbe me chatouillait le cou et qu'il me murmurait qu'il faudrait que je sois courageuse. J'ai réalisé que ça serait vraiment dur parce que avant ce jour, l'oncle Mohamed, par pudeur, n'a jamais eu aucune démonstration d'affection à mon égard, à part la bise une fois par an, à l'Aïd-el-Kébir.

Je quittais mon pays, laissant derrière moi toute une partie de ma vie. Je regardais pour la dernière fois le ciel de l'Algérie à travers le hublot et je croyais revenir vite. Je n'ai jamais repris le chemin du bled depuis mon arrivée en France et, si je décidais d'y retourner, je ne sais pas comment je vivrais le grand come-back. Mais ces derniers temps, j'y songe sérieusement.

Nawel va peut-être me pistonner pour travailler dans un magasin de chaussures que tient son oncle Abdou sur le boulevard de la Chapelle. Il vient de virer sa vendeuse parce qu'il l'a surprise avec un client dans la réserve. Si le tuyau fonctionne, je pourrai peut-être enfin tenir un contrat longue durée et faire quelques économies. Avec ça, je pourrai emmener le Patron et Foued en Algérie, dans le village de notre mère, du côté de Sidi-bel-Abbès, dans la maison familiale, « Dar Mounia[1] ».

---

1. « La maison de Mounia ».

En ce moment, je passe le plus clair de mon temps avec le Patron parce que je ne travaille pas. Je savoure ces instants avec lui, je lis sa vie dans les traits de son visage creusé, dans ses yeux mouillés, dans ses paupières qui tombent, dans les boucles de ses cheveux qui ont toutes blanchi, et je me dis qu'il me manquerait tellement s'il venait à canner. Lorsqu'on passe des moments ensemble, échange de bons procédés, il me raconte ses anecdotes et moi, je lui chante des chansons. Je l'écoute avec attention et j'attends qu'il fasse la sieste pour fuir au Café des Histoires noter tous ses petits récits. Je suis devenue une habituée de cet endroit, et c'est rare que je m'habitue à quelque chose. Quand j'arrive là-bas, Josiane sait d'avance ce que j'ai envie de boire. Elle m'apporte mon café serré et la plupart du temps, comme c'est vide l'après-midi, s'assoit à ma table. Elle dit que j'écoute bien, que j'inspire vite confiance et que c'est une grande qualité de s'intéresser aux autres comme je le fais.

Le problème, c'est qu'elle continue à m'appeler Stéphanie Jacquet et à me tanner pour avoir les journaux dans lesquels mes nouvelles sont publiées. Je n'arrive pas à lui avouer que j'ai mitonné.

Josiane n'a jamais souhaité avoir d'enfant, et quand je lui demande si elle ne regrette pas, elle répond très justement : « Quarante-huit ans, c'est un peu tard pour les regrets, et puis je sais que je suis pas stable, alors si c'est pour faire des mômes sans leur donner une vraie famille, vaut mieux pas. De toute façon, tu sais qu'une grossesse ça change complètement ton corps... Je crois que ça a joué aussi, j'avais pas envie d'avoir la peau flasque et les mamelles désespérées. »

C'est vrai que c'est une jolie femme et qu'elle est

118

très coquette. Elle fait un peu vieille France par moments, mais ça me plaît bien. Josiane en est à son quatrième mariage et avoue qu'elle pense à nouveau à divorcer, mais elle ne sait pas tout à fait pourquoi elle voudrait le faire. Elle dit qu'elle n'a jamais eu aucun motif valable lors de ses précédents divorces. Je crois qu'elle se perd un peu dans toutes ses histoires. Elle a voulu garder le nom de son premier mari parce qu'elle trouvait que Josiane Vittani, ça ressemblait à un nom d'actrice de cinéma des années 60. Elle est drôle et elle est franche. Comme ça, au café, c'est bien, mais je me dis que vivre avec elle au quotidien, ça doit être très spécial.

« En plus, à mon âge, c'est pas évident, je deviens sénile, ma pauvre fille ! Tiens l'autre jour, il fait l'effort, le pauvre, une surprise, il m'apporte le petit déjeuner au pieu, et comme j'adore les surprises j'étais très contente, tu penses ! Café, croissants, jus de pomme, la totale quoi ! Ah ! Il était beau le tableau, je vais te dire ! Le problème, c'est que moi, de bon matin, j'ai un peu la tête en vrac, comme tout le monde. Alors quand je veux le remercier, je ne sais pas pourquoi, j'ai pas compris comment ma mémoire a fait cache-cache avec ma bouche, mais devine pas qu'au lieu de dire "Merci, Arnaud !" – parce que mon mari s'appelle Arnaud – bah, figure-toi que je lui dis : "Merci, Bertrand !" – sauf que Bertrand, bon Dieu, c'est mon ex-mari. Alors je te raconte pas l'histoire après. Heureusement, j'ai pas fait d'autres gaffes, j'ai pas ajouté Frédéric et Gilles, les deux premiers. Et la cerise sur le pompon c'est que je me suis pas excusée parce que j'aime pas ça et puis c'était pas si grave au fond. Oui, c'est vrai, j'ai pas de mal à dire que je suis de très mauvaise foi sur ce coup-là. Moi, je ne dis jamais "Je te présente toutes mes excuses", parce que si je les présente toutes, il m'en restera plus pour après, pour les trucs plus importants... »

Ensuite, elle joue le sketch de l'agence matrimoniale. Elle me parle du fils aîné de son mari, qui est, d'après elle, un sublime jeune homme de vingt-cinq ans. Elle est certaine qu'il me plairait et que je lui plairais aussi. Si j'ai bien suivi, il semble être un subtil compromis entre Brad Pitt et Bill Clinton. Josiane dit qu'elle peut me le présenter. Après tout pourquoi pas ? Je peux bien tenter le coup. J'ai déjà perdu mon temps des dizaines de fois à donner leur chance aux véritables cas sociaux que Linda et Nawel s'entêtent à me ramener, ça pourra difficilement être pire. Quant à Tonislav : pas de nouvelles.

Après ça, Josiane retourne bosser et moi, j'écris, dans mon petit carnet à spirale.

*C'est l'histoire de cette fille qui avait grandi trop vite et qui était souvent triste. Ce qui la sauvait de ses tracas quotidiens, c'est que la moindre petite chose agréable, qui pouvait blaser la plupart des gens, eh bien, elle, ça la rendait folle de joie. Elle rêvait souvent d'autre chose et elle espérait que cette autre chose arriverait bientôt.*

*Un jour, au milieu d'une longue file d'attente, elle rencontra un violoniste étranger qu'elle aima en accéléré. Cette pauvre fille un peu cloche s'est accrochée à lui comme la fille du Titanic s'est accrochée à sa planche de bois dans l'eau gelée. Elle y a cru, à leur histoire, chose qui ne lui était jamais arrivée auparavant, et elle se disait que c'était peut-être enfin à son tour de connaître le ravissement de l'amour.*

*Hélas, juste au moment où elle croyait atteindre le*

*nirvana, où elle s'était autorisée à se servir un peu de son cœur qu'elle pensait rouillé depuis longtemps, il a fallu que le violoniste disparaisse sans laisser de traces. Elle était tellement triste qu'elle trouvait même que ça ne servait plus à rien d'être triste et elle s'est promis de l'oublier pour toujours.*

J'ai raconté à Tantie cette histoire, en long, en large et en verlan. Elle trouvait plutôt invraisemblable, me connaissant très bien, que j'aie pu succomber si vite, si fort. D'habitude, je chipote des mois et des mois avant de craquer, beaucoup déposent les armes sans attendre la fin de la bataille. Il faut vraiment que l'intéressé soit extrêmement patient et motivé pour gagner un peu de mon cœur et un peu de ma confiance, enfin, de quoi commencer une histoire... Et une fois que ça a commencé, en général, ça ne tient jamais bien longtemps. Soit le type fuit avant même que je puisse apprendre son numéro de téléphone par cœur et lui trouver quelques surnoms ridicules, soit je me sauve d'abord, parce que je me suis trop vite lassée de lui. Là, on peut dire que Tonislav, il a battu le record. Champion d'Europe de fuite rapide, catégorie poids lourd de la disparition mystère...

En vérité, j'ai une haine en moi assez fulgurante. Je n'ai pas l'habitude d'avoir envie de pleurer le soir avant de dormir parce qu'un clochard de clandestin de l'Est ne m'a pas rappelée. C'est ridicule... Rien que des bâtards, tous les mêmes et, comme disait Linda l'autre fois, « c'est quand on croit trouver l'exception qu'on vit la plus grosse spoliation ». En d'autres termes, c'est lorsqu'on s'y attend le moins qu'on se fait le plus mettre à l'amende.

Tantie Mariatou dit qu'il faut que je lui laisse un peu de temps, mais ça fait déjà deux semaines que je poireaute. Pour quelqu'un qui était censé me téléphoner le lendemain, je trouve ça un peu long... Comme elle a réponse à tout, elle a recensé tout ce qui aurait pu lui arriver, à ce pauvre Tonislav, comme égarer mon numéro, avoir un accident ou tomber malade... Peut-être qu'il avait piscine, tant qu'elle y est. J'en ai marre de donner des excuses à tout le monde. À moi, je ne m'en donne aucune. Alors il n'y a pas de raison.

Je l'ai insulté de toute mon âme, ce salopard, j'ai utilisé toutes les grossièretés que je connaissais, déclinées en plusieurs langues. Je l'ai maudit lui et sa descendance, j'ai prié pour que ses sept futures générations naissent eunuques, avec quatre yeux et dix-sept doigts.

Tantie dit que je fais du cinéma, que je ne pense nullement ce que je raconte, parce que je ne suis pas une mauvaise fille et que je suis capable d'accorder ne serait-ce que le bénéfice du doute aux gens.

Moi, je dis qu'il ne reviendra pas. En plus, je suis presque sûre de le recroiser à la préfecture un jour ou l'autre. J'ai même pensé y passer alors que la date de mon rendez-vous n'est pas encore venue. Je suis persuadée que si je le vois, il sera mort de trouille devant moi, et il aura honte, tellement honte qu'il se cachera. Et puis, finalement, je me dis que tout ça ne servirait à rien. La seule chose que je vais réussir à faire, c'est me rendre encore plus ridicule à ses yeux. Si je fais ça, je me serai définitivement assise sur ma dignité, j'aurai condamné ma fierté à vie. Négatif. Je l'oublie. D'ailleurs, je promets de ne plus jamais parler de lui, je n'évoquerai même plus son souvenir. Je décide de le virer totalement de ma mémoire, comme s'il n'avait jamais existé. Entre Tonislav et moi, ce sera sans regret, un peu comme entre l'usine Danone et ses deux cents employés licenciés.

# Une vie de chien errant

Je commence à aimer le fait d'avoir un vrai travail.

J'ai été embauchée d'après des critères totalement injustes, rien à voir avec mes compétences. J'ai eu ce poste simplement parce que je suis l'amie de Nawel, la nièce chérie de mon boss, et aussi parce que je parle couramment l'arabe, et c'est vrai que dans le quartier, ça peut toujours être utile. Pour une fois que je peux profiter d'un coup de piston, je ne vais pas pleurer. L'oncle de Nawel, Oncle Abdou, est un homme très sympa, je l'aime beaucoup – enfin, à la boutique, je l'appelle monsieur Kadri, parce qu'il ne faut pas tout mélanger quand même.

Désormais, mon boulot, c'est de vendre des chaussures.

Je passe mes journées parmi les pieds et je me rends compte que je déteste vraiment ça. Je trouve qu'un pied, c'est carrément répugnant. J'en vois des longs, des larges, des bizarres, des sales, des vieux, des gros, des fins mais rarement des beaux. Certains sont vraiment infects. Parfois j'ai l'idée de prendre en photo les plus affreux et de faire un album afin de créer une top liste des pieds incroyables. D'ailleurs, je pense même organiser autour de cette idée une stratégie commerciale : le gagnant du concours du plus vilain peton se verrait offrir une paire de pompes gratuite. Tout cela pour dire que j'ai du mal avec ça, y compris les miens, je finis par les trouver horribles. Je n'arrive même plus à les regarder. Quand je fais essayer la chaussure au client, parfois, je pense à l'histoire de Cendrillon et je me dis que si elle avait eu des pieds dégueulasses, avec les ongles sales et les doigts pleins d'ampoules, le conte ne se serait sans doute pas fini pareil. Le prince aurait pris ses jambes à son cou après avoir jeté à la figure de la crasseuse son soulier de vair.

En ce moment, je passe donc ma vie au milieu de cartons de chaussures et de pieds d'inconnus mais je tiens le coup. Le magasin de l'Oncle Abdou est vraiment très bien situé, il se trouve boulevard de la Chapelle, au cœur de ce quartier fou qu'est Barbès. J'adore cet endroit. Dès que j'ai une pause, je vais me promener. Je me fabrique même mes petites habitudes. Tous les midis, je vais manger chez M. Yassine, un vieillard algérien qui tient une sandwicherie un peu plus haut. Ses toasts halal sont vraiment hors du commun.

Après, je passe au kiosque de Kaïs, un type très spécial qui a l'air un peu atteint. C'est très étrange, cet homme ne finit jamais ses phrases mais il le fait tellement naturellement que ça passe. Je lui achète le journal et je vais boire un café au bar-tabac d'en face.

Un jour, sur un coup de tête, je me suis mise à la recherche du fameux café de Slimane à la Goutte-d'Or dont le Patron m'a si souvent parlé. J'étais convaincue que je le reconnaîtrais tout de suite si je passais devant, car il était au cœur de bon nombre de ses histoires et il me l'a décrit avec tant de détails... Je l'ai cherché dans tout le quartier, faisant le tour plusieurs fois, en vain ; puis j'ai fini par demander à deux vieux Algériens qui étaient assis sur un banc s'ils connaissaient l'existence de cet endroit et de ce Slimane. L'un d'eux, coiffé d'une casquette à carreaux, m'a appris que quelques années plus tôt, le café avait été racheté et transformé en restaurant chinois. Quant au Slimane en question, l'ancien patron, il a succombé à un cancer il y a quelques mois à peine d'après les dires du vieux bonhomme, et ses enfants auraient décidé de l'enterrer au bled car cela avait toujours été la volonté de leur père. J'ai remué dans leur esprit quelque chose de très délicat parce que les deux vieux se sont lancés dans un grand dialogue nostalgique.

« Slimane, que Dieu ait son âme, *miskine*. Tu vois, mon frère, ce qui nous attend nous aussi, nous finirons pareil... Après avoir travaillé ici toute notre vie comme des chiens errants, on nous expédiera là-bas morts, entre les quatre planches de bois d'un cercueil.

— Ne parle pas de malheur, Dieu pourvoira et c'est tout, tu sais bien que nous ne décidons de rien.

— Je le sais, mon frère. Mon seul rêve était de retourner chez moi. Chaque année, je disais : l'année prochaine ; ensuite, je disais : quand je serai à la retraite ; et puis je retardais encore en disant : quand les enfants seront grands. Maintenant, ils sont grands, grâce à Dieu, mais ils ne veulent pas me suivre. Ils disent qu'ils sont français et que leur vie est ici.

— Qu'est-ce que tu veux leur offrir au pays ? Il n'y a même pas de travail pour les enfants du *châab*[1]

---

1. « Peuple » en arabe.

et tu crois que tes enfants *franssaouis*[1] vont en trouver ?

— Ils n'en trouvent pas non plus ici de toute façon. »

L'un d'eux se tourne vers moi :

« Dis-moi, ma fille, pourquoi cherches-tu Slimane. Tu es de sa famille ?

— Non, mais mon père l'a connu.

— Qui est ton père ?

— Moustafa Galbi.

— Moustafa Galbi... Galbi... D'où est-il ?

— Il est de Tlemcen, monsieur.

— Ton père c'est Galbi la moustache, non ? »

Les deux vieux se sont mis à rire. Celui qui portait la casquette à carreaux a commencé à tousser comme une truie asthmatique. Il se marrait tellement qu'à un moment, je me suis dit : « On va finir par le perdre. »

« Je n'y crois pas, mon ami ! Tu te souviens de lui ?

— Qui ne se souvient pas de Sam ! Ce chenapan, je n'ai jamais réussi à le battre à une seule partie de dominos !

— Tu sais, ma fille, ton père jouait dans ce café, il faisait de la guitare je me rappelle...

— Oui, il me l'a raconté.

— Oh, c'est un drôle de signe que tu sois passée par ici. Dis à ton père que Najib et Abdelhamid les Oranais le saluent.

— Je lui dirai, *inchallah*.

— Et dis aussi à ce vieux fou qu'il peut toujours passer nous voir, nous sommes très souvent assis là. »

C'est possible que le vieux fou, comme ce mon-

---

1. « Français » en arabe.

sieur l'a désigné affectueusement, ne se souvienne pas du tout d'eux, mais je lui raconterai quand même ma rencontre. Je leur ai dit au revoir et j'ai fui parce que, sinon, ils m'auraient parlé des heures d'une époque que je n'ai pas connue et que j'ai beaucoup de mal à imaginer. Comme je suis trop émotive, je crois que j'aurais été capable de verser deux ou trois larmichettes devant eux. Et ils auraient pensé que c'est moi la folle.

Je dois l'être un peu au fond, car je crois toujours reconnaître ce connard de Tonislav quand je passe devant le petit bar serbe de l'autre côté de la rue. Mon cœur bat aussi fort que les *bendirs*[1] de Tlemcen et puis, en m'approchant, je me rends compte que ce n'est pas lui. Le pire, c'est que je suis déçue.

---

1. Instruments de musique, percussions.

# Le droit au rêve

Ce que je redoutais le plus a fini par arriver, Foued a été exclu définitivement de son lycée. Ils n'ont pas beaucoup hésité. Il y a eu un conseil de discipline bâclé auquel j'ai été gentiment conviée et puis la décision est tombée après délibération même si, selon moi, elle était prise d'avance.

Voici les faits : lors de l'entretien de fin d'année avec les profs et la conseillère d'orientation, Foued a expliqué qu'il aimerait suivre une formation en sport-études dans une section de football parce que c'est sa passion depuis toujours – dès l'âge de six ans, il jouait dans un club d'Ivry. Il aime ça et ce qu'il voudrait, c'est se professionnaliser. Voici l'orientation que la conseillère a pensé opportun de lui donner : « Faut pas rêver, c'est un peu irréaliste. Je ne peux pas prendre la responsabilité de t'envoyer là-bas, tout le monde ne peut pas devenir Zidane. Tu devrais plutôt suivre une formation technique d'électricité ou de mécanique. Pour toi, je pense que c'est ce qui conviendrait le mieux. »

Résultat, Foued, qui est un petit nerveux, s'est emballé direct. Il s'est levé, s'est mis à l'insulter de tous les noms, et notamment de catin, ce qui a fait tilter son professeur de français – un vrai bâtard d'après moi –, qui trouvait cela très ironique qu'il emploie un terme de vieux françois du XIVᵉ siècle alors qu'il n'est pas fichu d'écrire une ligne sans fautes d'orthographe. Il l'a remarqué à voix haute et cela a fait rire quelques-uns de ses collègues. Voilà, ça lui a fait plaisir sans doute de descendre mon petit frère à un moment où il jouait son avenir. Foued a été exclu du système scolaire parce qu'on a condamné d'avance son rêve.

J'ai contacté Thomas, l'un des éducateurs spécialisés qui travaillent sur le quartier de l'Insurrection, pour qu'il aide mon frère à trouver un autre lycée. Il m'a expliqué qu'à cette période de l'année, ce n'était pas évident du tout, surtout vu le poids de son dossier. Il a dit qu'il valait mieux qu'il redouble sa classe et que l'on cherche une place pour la rentrée prochaine. Du coup ça nous laisse un peu de temps. J'ai demandé à Oncle Abdou de me laisser quinze jours de congé. Pour le convaincre, je lui ai même dit être prête à n'avoir plus de vacances pendant vingt ans pour ces quinze jours-là. Il a compris l'importance que ces deux semaines avaient pour moi et m'a donné mes congés sans polémiquer. Je crois que c'est le bon moment. J'ai réservé trois billets sur Air Algérie.

J'ai dû annoncer à mon frère qu'on partait. Je pense qu'il a été très surpris. Il était en train d'essuyer la vaisselle, il en a cassé un verre du service Nutella. C'est judicieux et pratique, leur histoire de verres. On a aussi un service qui vient de la moutarde Maille et un autre des olives cocktails Garnerth.

« Mais je parle pas bien arabe, objecta Foued.

— La plupart des gens au bled, ils comprennent le français, t'inquiète.

— Et on va rester longtemps ?

— Non, pas longtemps. Deux semaines, un truc comme ça.

— Qu'est-ce qu'on va faire du Patron ?

— Ben, il vient avec nous. On va pas le laisser dans le vide-ordures.

— Il le sait ? Tu lui as dit qu'on va là-bas ?

— Ouais, je lui ai dit tout à l'heure. Demande-lui, tu verras, tu vas rigoler. »

Nous voilà dans le salon avec le Patron, il est en train de fabriquer des cocottes en papier avec les pages du *Télé 7 jours*.

« Papa ?

— C'est moi. Qui me demande ?

— On va partir où, Papa ? Tu le sais ?

— Gambetta, les Andalouses, Bel-Air... à Oran. Je le sais, oui.

— On part au bled, hein ? On va au village aussi. Je te l'ai dit. Tu te souviens ?

— Oui. J'en ai marre des publicités sur la Une. Toujours des publicités.

— On part avec Foued. On va prendre l'avion.

— Les escrocs ! Neuf cent trente-quatre euros l'aller-retour. On n'est pas riches. Compagnie de voleurs... Je peux y aller à la nage. C'est pas loin. »

Avec Foued, on se marre. Le Patron est imprévisible.


J'ai rendez-vous avec Linda et Nawel. Cela fait vraiment un bail que je n'ai pas vu leur ganache, elles m'ont manqué. Nous devons nous retrouver au Babylone Café près du centre d'animation dans lequel travaille Nawel à Ménilmontant. Elle connaît bien ce bar car elle y va souvent avec ses collègues. Elle dit que ça ne paie pas de mine mais que c'est un endroit génial.

J'y arrive la première, et de l'extérieur, je me dis que ça n'a pas l'air extraordinaire en effet. Je pousse la porte et je retire immédiatement ce que je viens de dire, l'atmosphère me plaît tout de suite : la lumière est douce, les couleurs sont chaudes et j'entends une chanson de Manu Chao. Tous les ingrédients sont là. Du coup, j'adhère direct. Près du bar, je remarque un drôle de personnage, un type autour de la quarantaine, l'air un peu farfelu, une allure extraordinaire, de longues pattes, une casquette de marin, et des yeux bleus immenses, ce genre de grands yeux qui racontent des histoires. Il me voit et me lance : « Bonjour, princesse ! Bienvenue ! Installe-toi ! Qu'est-ce que tu prends ? » Je lui demande un café serré.

« Pourquoi un café serré ? »

L'homme farfelu m'a complètement déstabilisée. C'est la première fois que dans un bar, on me demande de justifier ma commande.

« ... Heu... je sais pas. C'est ce que je prends toujours, par habitude.

— L'habitude, c'est ce qui tue les hommes. Je m'appelle Jack. Mais on m'appelle Jack la Belette !

— Moi, c'est Ahlème. »

On dirait qu'il veut me rendre ouf.

« Bienvenue. Tu sais, je dis "bienvenue" parce que tu viens pour la première fois.

— Oui, exact. Je vais prendre plutôt un thé pour changer. »

Il lance ma commande au barman comme un joueur de tennis lancerait une balle au service.

« Un thé ! »

Puis le barman, qui a un sourire scotché au visage,

se le répète comme s'il voulait se le rappeler toute sa vie. « Un thé ! Un thé ! »

Ça me plaît qu'il sourie comme ça. En général, quand je vais dans les cafés à Paris, j'ai l'impression que les serveurs ont une fente dissimulée quelque part dans le corps, dans laquelle il faudrait glisser une pièce de monnaie pour obtenir ne serait-ce qu'une esquisse de rictus. N'y voyez rien de dégueulasse surtout.

La Belette revient vers moi avec le thé qu'il dépose sur le dessous-de-verre en papier représentant le globe terrestre.

« Merci beaucoup, Jack.

— Tu as bien de la chance, tu vas boire ton thé au-dessus du monde.

— Oui... J'avais pas vu ça comme ça.

— Tu dois attendre quelqu'un que tu aimes beaucoup, ça se voit.

— J'attends mes amies.

— Ah ! J'avais raison. Si tu avais rendez-vous avec un huissier de justice ou un expert-comptable, je l'aurais su aussi. »

Sur ces bons mots, la Belette m'abandonne aussi soudainement qu'il m'a interpellée et me laisse méditer tranquillement au-dessus du monde. Chiotte, je renverse une petite flaque de thé sur l'Afrique, c'est pas sympa, comme s'ils n'avaient pas déjà assez d'emmerdements comme ça. Pour quelqu'un qui s'appelle Jack, je trouve qu'il a un accent un peu algérois sur les bords. Mais je ne lui demanderai jamais d'où il vient, même si je deviens une habituée de ce café, parce que c'est un truc qui ne se demande pas. Moi, par exemple, je n'aime pas qu'on me le demande donc je ne lui poserai pas de questions, premièrement parce que Jack, ça lui va bien et que ça me suffit après tout, et deuxièmement... ah non, il n'y a pas de deuxièmement.

Linda et Nawel arrivent enfin au Babylone Café. Elles sont très apprêtées et, comme toujours, elles font une entrée fracassante dans un nuage de fumée de clopes mêlée de leur parfum sophistiqué, fragrance printanière. Elles jouent le spectacle des filles qui connaissent le lieu, ça tape la bise, ça passe derrière le bar comme à la maison et ça fait des sourires à droite, à gauche. Je remarque avec grand regret que Linda a teint ses jolies boucles brunes ; elle a fait par-dessus des espèces de mèches claires oxygénées cramées et je trouve que c'est absolument affreux. Du gâchis. Pire : un crime contre l'humanité. Elles s'approchent de moi toutes les deux. Je pense que je leur ai manqué aussi, alors on s'embrasse chaleureusement et je les invite à s'installer sur la banquette, comme d'hab.

« T'as remarqué un truc, non ?

— Tes cheveux ?

— Ouais ! dit-elle avec enthousiasme.

— Tu parles de cette teinture blond pipi, là ? Cette attaque à main armée que tes cheveux ont subie ?

— Non ! Tu déconnes ! T'aimes pas ?

— Pas du tout !

— Tu vois ! Je te l'avais dit ! ajoute Nawel.

— Mais pourquoi ? Tu trouves pas ça joli ?

— Putain, Linda, t'es grave ! T'avais les cheveux les plus beaux du monde, et il a fallu que t'ailles les colorer à la gouache pour ressembler à toutes les petites crasseuses super-vulgaires qui vont acheter

134

leurs strings panthère au marché de Clignancourt le samedi matin.

— Oh merde ! T'es cruelle là. Je rêvais d'un blond entre le doré et le cendré, c'est bientôt l'été, c'est pour ça.

— Mais tu me fous la rage ! En plus la coiffeuse, t'as bien vu qu'elle te l'a ratée ta couleur : c'est ni doré ni cendré, c'est... fumé, c'est du jaune passé.

— Bref, on oublie. Je suis dégoûtée, je vois bien que c'est raté, mais je voulais me persuader que c'était beau, eh ben merde, je suis très mauvaise comédienne, voilà... C'est vrai, c'est hyper-moche, j'admets. Cette conne de coiffeuse chez Jean-Louis David, elle m'a mis des grosses disquettes dans la cervelle, je me suis fait barber, elle a réussi à me convaincre que ça m'allait super-bien. En plus, je lui ai laissé cinq euros de pourboire ! Venez, on y retourne et on la marave, non ? J'ai la haine, ça y est... »

Là-dessus, Nawel la crapuleuse éclate de rire. Heureusement, Linda est loin d'être susceptible. Avec les filles, on peut tout se dire. Puisque nous ne sommes pas des vilaines à ce point-là, nous lui proposons de lui acheter une teinture Movida et de la lui faire à domicile afin qu'elle redevienne la belle et ténébreuse brune qui créait des émeutes à chacun de ses passages, celle dont les hommes rêvaient en pleine journée, celle qui évoquait les contes de princesse des mille et une nuits.

Peut-être que j'exagère un peu mais c'était juste pour insister sur le fait qu'elle est carrément plus jolie en brune.

Certainement pour nous faire changer de sujet, Linda nous a raconté un potin tout frais, tout chaud, emballé dans du papier doré. Celui-ci mériterait d'être relaté aux scénaristes de feuilletons américains à succès. Ils en feraient quelque chose, c'est sûr.

Il y a quelques jours de cela, Magalie, sa patronne chez Body Boom, à l'occasion de l'anniversaire de son mari, a décidé de rentrer chez elle plus tôt que prévu pour lui faire une surprise. Elle avait demandé à Linda et aux autres esthéticiennes de tenir l'institut sans elle et de faire la fermeture exceptionnellement. Bien entendu, comme dans toutes les histoires qui commencent par « elle décida de rentrer chez elle plus tôt que prévu pour lui faire une surprise... », la fin est horrible, on le devine déjà. Donc la pauvre Magalie rentre chez elle, elle fait tous les efforts du monde pour que sa surprise soit réussie : elle n'emprunte pas le même chemin que d'habitude, se fait discrète, monte les escaliers sans bruit, etc. etc. Mais bien sûr toutes ces précautions sont inutiles puisque le mari en question n'est pas censé être là... Il faut imaginer aussi que lorsque Linda raconte, elle fait toute la mise en scène autour, dans les moindres détails. Moi, je préfère les passer, car cela n'enlève rien à la saveur de la chute.

Magalie, confiante et comblée, entre alors dans la salle à manger pour préparer la magnifique table qu'elle avait prévu de dresser afin d'offrir à son tendre époux un romantique dîner aux chandelles. Mais quelle ne fut pas sa stupeur en découvrant, sur le canapé qu'ils avaient acheté ensemble chez le géant du meuble suédois, son porc de mari dans les bras d'un jeune Asiatique de dix-sept ans ! Si je me souviens bien, la fin de l'histoire, c'est qu'elle a fait une crise d'épilepsie, ou bien qu'elle a étranglé le Chinois... ou alors c'est plutôt le Chinois qui l'aurait étranglée... Je ne me souviens plus.

Après ça, Nawel, sans prévenir, m'a étranglée à son tour. Sans le vouloir, elle m'a tuée. Elle se tient toujours très au courant de l'actualité dans le monde, contrairement à Linda qui privilégie une actualité, disons, plus locale. Au téléphone, elle m'avait parlé d'un article qu'elle a lu il y a quelques jours et qui parlait d'une nouvelle exclusion de sans-papiers. Elle sort le journal de son sac et commence la lecture à voix haute.

« Tu vas voir, c'est un truc de ouf. "L'homme, âgé de vingt-sept ans, s'est présenté dans la matinée au bureau des étrangers de la préfecture du Val-de-Marne, à la suite d'une banale convocation. Il est arrivé sans crainte, en possession de la promesse d'embauche qui lui permettrait d'obtenir le titre de séjour de dix ans tant convoité. On lui a indiqué une salle dans laquelle il devait attendre quelqu'un de l'administration mais, à sa stupéfaction, ce sont deux policiers qui sont venus le trouver. Direction le centre de rétention du secteur. Avant le premier avion pour Belgrade..." »

J'arrache alors le journal des mains de Nawel. L'article était intitulé : « Quand les préfectures tendent des embuscades ».

« Doucement, calmos...

— Fais voir ! Fais voir ! »

J'ai tout de suite repéré le passage que je redoutais.

« ... Le ministère de l'Intérieur nie "avoir posé des traquenards à qui que ce soit". Pourtant le cas de Tonislav Jogovic n'est pas unique. D'après l'association "Papiers pour tous", il serait le treizième cas de ce genre depuis la circulaire de février. »

# De l'autre côté

Le premier pas que je fais sur le sol algérien est difficile, mon corps se crispe. J'ai mis une robe qui tourne et, comme il y a un peu de vent, je prends soin de bien la tenir. Le soleil du bled fait honte à mes jambes blanches que je n'expose jamais.

Ce qui me revient aussitôt, c'est l'odeur, le parfum de la terre, l'air chaud qui frappe le visage. Et toujours sur le fronton, cette lettre qui manque : AÉRO ORT ORAN-ES-SENIA.

Le douanier moustachu fouille nerveusement les sacs, il retourne dans tous les sens les bagages que j'ai passé des heures à organiser, en me lançant un petit regard louche. Sans le moindre doute, c'est le mot *bakchich*[1] que je lis dans ses yeux. Aucune chance. Je préfère crever dans cet aéroport que d'engraisser l'oie de la corruption. Alors, il continue son cinéma, il en fait des caisses en continuant à nous observer dans l'espoir que l'on sorte de l'une de nos poches un magnifique billet. Au mieux une « devise » en euros, au pire un bifton de deux cents dinars. Il nous fait attendre avec un plaisir non dissimulé, fouille comme si les dix-huit passages aux bornes de douane et aux portes automatiques depuis Paris-Orly

---

1. « Pot-de-vin » en arabe.

n'avaient pas suffi. Déterminé à atteindre son objectif, il appelle alors une de ses collègues pour une « firification ». En réalité, il lui fait simplement un léger signe de tête et elle pige tout de suite. La petite bonne femme arrive d'un pas décidé, le moustachu lui parle dans l'oreille – à ce que je vois, ils veulent la jouer « scrède [1] ». La dame a une tête énorme qu'on croirait vissée sur son buste. On dirait qu'elle n'a pas de cou, elle ressemble à la tortue du dessin animé « Big Turtle » qui passait sur la Cinq quand on était petits. Elle s'adresse à moi d'une voix grave : elle voudrait savoir ce que sont ces objets que j'ai emballés dans du papier journal. J'explique à Big Turtle que ce sont des boîtes de gélules pour ma grand-mère qui est souffrante. Elle veut en savoir plus, alors je lui dis qu'elle peut même les ouvrir si ça lui chante. Qu'est-ce qu'elle croit, l'autre ? Que j'apporte des ecstasys à ma grand-mère au bled ? Elle tâte les boîtes à travers le papier, en mâchant son chewing-gum grossièrement, puis je la vois qui s'arrête sur un morceau de journal. Elle bloque dessus quelques minutes. C'est la meilleure, celle-là, elle est en train de lire, comme si on avait que ça à foutre. On attend encore... Mais qu'est-ce qu'elle fiche ?

« C'est quelle date celui-là ? C'est l'horoscope d'aujourd'hui ? »

Alors elle retourne à son poste, insatisfaite. Les prédictions n'ont pas dû être très bonnes.

Le Patron, assommé par la chaleur, est encore plus dans le gaz que d'habitude. Pour qu'il s'évente, je lui ai filé une brochure sur les consignes de sécurité que j'ai piquée dans l'avion. Foued semble carrément

---

1. « Discret » en verlan.

perdu. Il regarde partout, comme un enfant égaré dans un centre commercial. Le type en uniforme insiste encore, puis, constatant qu'il ne parvient pas à nous pousser à bout, il finit par refermer les sacs et y marquer à la craie blanche une petite croix, ce qui signifie que tout est OK. Il nous laisse partir à contre-cœur, un peu comme un pêcheur qui laisserait filer un gros saumon. Nous prenons nos bagages et nous nous dirigeons vers la sortie. Je m'aperçois qu'il nous jette un dernier regard mauvais, tout en tournant sa moustache entre le pouce et l'index. Je me demande ce qu'il est en train de se dire, peut-être : « Ces immigrés, quelle bande de radins ! Avec tout l'argent qu'ils gagnent en France... »

Devant la porte des arrivées, des gens attendent sous les palmiers. Le soleil cogne les pare-brise et les crânes des taximen, qui interceptent les voyageurs de tous les côtés. Ils hurlent leurs destinations, les petits villages dans lesquels ils vont passer. Alors les gens montent dans le véhicule, foutent eux-mêmes les valises dans le coffre et vroum, ça part en démarrage américain.

Nous attendons notre cousin Youssef. Je ne suis pas sûre de le reconnaître, mais lui, à coup sûr, il nous reconnaîtra.

Depuis quelques minutes, chaque taximan qui vient vers nous et appelle le Patron « *aâmi*[1] », Foued est prêt à le suivre en pensant que c'est lui le cousin qu'on attend. Je lui explique alors que c'est juste une formule de politesse et qu'ici tous les types qui l'appelleront « *khoyya*[2] » ne sont pas forcément ses

---

1. « Mon oncle ».
2. « Mon frère ».

frères. C'est un peu comme ses potes à la cité lorsqu'ils s'appellent entre eux « cousin ».

Youssef arrive enfin. Les retrouvailles sont émouvantes mais un peu spéciales parce que, en fait, on ne retrouve plus rien du tout. En tout cas, plus grand-chose. C'est un homme maintenant, les soucis l'ont fait vieillir plus tôt que prévu, et à part la petite lueur de malice dans le regard, l'enfant espiègle avec qui j'ai appris des jeux défendus a disparu. Nous montons dans le taxi et le cousin essaie de faire la conversation avec le Patron. Il a du mal mais il insiste. Je l'ai prévenu, je lui ai tout expliqué afin qu'il ne soit pas trop étonné du décalage. D'ailleurs, je les ai tous prévenus que Papa était malade. Ils ont l'habitude avec l'oncle Kader, il est comme ça aussi depuis qu'il est rentré de l'armée – je me demande ce qu'ils lui ont fait là-bas. D'après les lettres de Tante Hanan, ça a dû être rude. Il a carrément pété un boulard. Il paraît qu'il se pisse dessus en plein marché et qu'il lui prend de se déshabiller dans la rue et de se mettre à cavaler. Youssef nous pose des questions, nous demande ce qu'on fait, s'intéresse à nos vies. Je lui dis que je travaille, mais il paraît déçu lorsque je lui explique exactement ce qu'est mon job. Quant à Foued, il ment, il dit qu'il va à l'école et qu'il travaille bien. Il a avalé sa salive avant de mentir : à ce que je vois, nous avons les mêmes techniques. Il a fui mon regard lorsqu'il l'a fait. Peut-être craignait-il que je l'affiche, que je lui foute la honte devant un « blédard », comme il dit.

« Tu joues toujours *boléta*[1], Foued, ta sœur m'a écrit dans la lettre ?

---

1. « Ballon » en dialecte algérien.

— Ouais, vite fait.

— Pourquoi toi tu écris jamais la lettre ?

— Parce que j'suis pas fort en français.

— Et moi alors ? C'est pire que toi, mais j'écris quand même. Tu es feignant, le petit *Franssaoui*... »

Ça fait un point de marqué pour le blédard moi j'dis.

Il fait trop chaud dans ce coin, des gouttes de sueur me coulent sur le front. L'air est sec et, par la vitre baissée, de la poussière vient se fourrer dans mes yeux. Le taximan conduit comme un dingue et je vais passer quinze jours avec des gens que je n'ai pas revus depuis plus de dix ans et que je ne connais pas si bien que ça.

La veille du départ en Algérie, je suis allée saluer Tantie Mariatou. Je lui ai exprimé quelques-unes de mes inquiétudes à propos du séjour. J'avais tellement peur de ne plus rien avoir à partager avec les miens, je craignais que la France m'ait tamponnée au point de me sentir encore plus étrangère là-bas. Alors elle m'a donné l'un de ses succulents dictons que j'ai emporté dans mes valises : « La planche de bois peut rester cent ans dans le fleuve, elle ne sera jamais un caïman. »

Comme je l'avais imaginé, le village entier est aux aguets, une foule s'est postée devant la maison. Je ne connais pas tous ces gens qui m'espèrent, tous ces visages qui m'attendent, je me demande ce que j'aurai à leur dire. Je me sens paumée comme un oisillon qui ne sait plus où est le nid.

Le taxi se gare dans un nuage de poussière et, à la vue de la baraque familiale « Dar Mounia », quelque chose m'agrippe le cœur. J'en ai le souffle coupé, tout va si vite pour moi. C'est ici que j'ai grandi, et la première sensation que j'ai, c'est que tout est petit. Mon souvenir se trouve là devant moi mais en version réduite. Nous sortons du véhicule et, tandis que Foued et le zinc Youssef sortent les valises du coffre, le Patron décide de faire une arrivée fracassante. Je ne sais pas ce qui lui a pris mais il est sorti de la voiture en bouledé et s'est mis à crier de joie, à lever les bras, à applaudir et à siffler. Le plus fou est que les gens suivent la vibe, on dirait le public de NTM à la belle époque au début d'un concert.

« Vive l'Algérie ! Le peuple d'Algérie est libre ! On a gagné ! L'Algérie est à nous ! *Istiqlal ! Istiqlal*[1] ! »

Les gens se marrent, les enfants nous encerclent. Ils s'agrippent à nous, à nos vêtements et à nos bras. C'est la folie. Ils se mettent à crier :

« Les immigrés ! Les immigrés ! Il est où Jacques Chirac ? »

Je reconnais alors quelques visages familiers qui s'approchent. Les tantes, les oncles et les cousins se jettent sur nous, ils nous embrassent, nous enlacent avec tout leur cœur. Nous sommes accueillis dans une euphorie totalement foulek, des cris et des youyous nous portent, le village est en fête parce qu'un morceau de France lui rend visite. Les « salam » et les « labès » commencent alors. J'ai l'impression qu'il s'est passé une semaine entre notre arrivée et le moment où nous entrons enfin dans la maison.

Au fur et à mesure, des détails me reviennent en mémoire. Je retrouve mon petit coin secret. Pour moi, toute l'Algérie se trouve ici. Le grillage à travers lequel j'épiais les passants pour leur inventer des his-

---

1. « Indépendance » en arabe.

toires a été remplacé par un muret de pierres. Mon bel oranger a disparu. On l'a coupé pour mettre à sa place un point d'eau et de grands éviers de faïence pour la lessive. À part ça, « Dar Mounia » n'a pas tellement changé.

Ma grand-mère a vieilli, elle est malade. Ayant perdu toutes ses dents, désormais elle ne peut manger que de la soupe et de la purée de légumes. Elle passe son temps à dormir car elle se fatigue trop vite. La pauvre a kiffé sur Foued. Elle a une affection particulière pour lui car c'est elle qui le berçait petit en lui murmurant des chants traditionnels, et c'est elle qui a choisi son prénom aussi. Le problème, c'est qu'il l'esquive, ce petit crapuleux, car je crois qu'elle l'effraie : « Elle fait flipper avec ses dessins sur la face, en plus elle pue de la gueule ! On dirait le tueur dans *Saw* ! » Il parle du tatouage tribal qu'elle porte sur le front et le menton. Ces trucs ne se font plus tellement aujourd'hui, mais autrefois, c'était une épreuve horrible, il paraît. Au village, ce sont quelques vieilles qui s'en chargeaient, avec des aiguilles chauffées et, apparemment, elles n'étaient pas très marrantes, les vieilles, de vraies hyènes. Tu pouvais toujours chercher à te sauver, te débattre, pas moyen, elles te tenaient la gueule bien fermement. Grand-mère m'a raconté que lorsqu'on a voulu le faire à Maman alors qu'elle était encore petite fille, elle a couru jusqu'à la forêt pour s'y cacher. Elle riait en le racontant, en ouvrant grande sa bouche vide.

La tante Hanan, j'ai gardé d'elle un souvenir assez fidèle. C'est un mélodrame personnifié, elle pleure tout le temps, pour tout et n'importe quoi. Quand je la vois commencer à gigoter ses sourcils et tordre ses lèvres de haut en bas, je me dis : « Oh merde ! ça y est, elle nous remet ça ! » Heureusement qu'elle n'a pas vu *Titanic*.

Elle me parle beaucoup de l'époque où je vivais là. Elle me fait voir de vieux polaroïds, elle me montre même l'endroit où je dormais... C'est comme si elle voulait m'apporter des éléments que j'aurais perdus en cours de route. Elle me dit que la France m'a arrachée des bras de mon pays comme on arrache un enfant à sa mère. Voilà, elle dit ça et ça y est, les sourcils gigotent et les lèvres tremblent... Elle a encore pas mal d'autres formules magiques de ce genre. Tante Hanan, elle ferait chialer des routiers.

Je passe mes journées à écouter les gens, à essayer de me souvenir de qui je suis. J'ai du mal à l'admettre, mais en réalité ma place n'est pas ici non plus.

Mes jeunes cousines n'ont que le mot « mariage » à la bouche. Elles préparent leur trousseau, et à l'âge de Foued, elles sont déjà de vraies femmes. Leur vie est brodée sur leur tapis de paille aussi sûrement que la mienne est gravée sur le béton des immeubles d'Ivry. L'après-midi, elles se prennent à en fantasmer une autre, lointaine et impossible, en regardant le feuilleton mexicain à l'eau de fleur d'oranger doublé maladroitement en arabe – sans les scènes un peu chaudes, censurées, parce qu'elles peuvent rêver mais pas trop quand même. Cette niaiserie passe tous les jours à 13 heures. Alors dans le village, à 13 heures, la vie s'arrête. Et après le feuilleton, c'est la sieste.

C'est justement à cette heure-là que le pauvre Foued a craqué.

« Putain, c'est mort ici, j'veux aller dehors, moi...

— Mais y a personne dehors.

— C'est quoi ce bled où tout le monde dort ?

— Il fait trop chaud dehors à cette heure-ci. Tu crois que t'es en France ou quoi ? Si tu sors maintenant, tu vas tomber tout sec, tu verras. Le soleil va te chicoter ton crâne. »

Les « cousins », ceux qui vivent en France et sont au bled le temps des vacances, ne parlent que de leur nouvelle patrie. Ils en parlent comme d'une amie intime qui parfois leur tend les bras, parfois les chasse à coups de pied. Ils racontent les histoires qu'ils entendent, le récit de ceux qui sont passés entre les mailles du filet et ils en rajoutent, n'admettent pas leur échec ni leur misère. Ceux-là n'apprennent jamais à la famille du bled qu'ils travaillent au noir, qu'ils font la plonge dans des restaurants chinois miteux et qu'ils dorment dans de misérables petites chambres de bonne. Ils embellissent tout, parce qu'ils ont honte, mais ils préfèrent quand même ça plutôt que de revenir définitivement.

Le cousin Youssef, lui, ne connaîtra jamais la France. Il m'a appris que la moitié de la population a moins de vingt-cinq ans et, démunie, ne sait pas quoi faire de ses rêves.

Je voudrais leur dire que là-bas, en France, ce n'est pas ce qu'ils croient, qu'à travers cette fenêtre déformante qu'est la télévision, ils ne sauront rien du réel. Les chaînes françaises qu'ils piratent pour regarder les feuilletons TF1 de l'été ne leur montrent pas la vérité. Comme disent les jeunes d'ici, les paraboles accrochées aux immeubles d'Oran sont les oreilles de la ville, tendues vers le nord, prêtes à tout entendre. Mais ces oreilles sont bouchées.

Je ne m'autorise pas à leur dire tout ça, je ne veux pas passer pour madame Je-sais-tout. Ces gens ont connu une guerre civile, la faim et la peur, et même

146

si la France n'est pas ce qu'ils croient, on n'y est pas si mal, parce que ici, c'est peut-être pire en fait.

Foued, après la traditionnelle diarrhée des trois premiers jours, a réussi à taper l'amitié avec des petits voisins. Les jeunes d'ici le surnomment déjà « le Migré ». Ensemble, ils passent leurs journées dans le quartier, ils traînent devant le *hanout*[1]. Ses nouveaux compagnons de galère, ce sont des enfants du bled, des mecs de la débrouille, des vrais, de ceux qui vendent des sacs plastique, des cacahuètes ou des clopes à l'unité dans la rue, qui vont passer des journées à fouiller les poubelles à la recherche d'un éventuel miracle ou d'une paire de chaussures. Même si on ne reste pas très longtemps ici, j'espère que Foued verra que l'argent, ce n'est pas si facile à obtenir, que ces mômes qui marchent avec des claquettes de contrefaçon « Mike », aux pieds sales et endoloris, et qui se font baffer par les adultes toute la journée, y compris par leurs parents le soir lorsqu'ils n'ont pas gagné assez de dinars, ces gamins-là, eux, ils souffrent mais ils se démerdent et souvent ne se plaignent pas. J'espère que ça va le faire réfléchir de voir la vie d'ici.

Aujourd'hui, nous allons à la ville, sur le front de mer puis au cimetière où est enterrée Maman, tandis que les frères Djamel et Aïssa conduiront le Patron chez les marabouts du village voisin pour faire ce qu'ils appellent ici une *ziara*, une sorte de désenchantement. Le rituel est le même pour guérir de la folie, d'un envoûtement, ou pour traiter les enfants agités. On verra bien ce que ça peut donner, de toute façon, ça ne peut pas être pire.

Pendant que tout le monde se prépare, je me mets

---

1. « Magasin » en arabe.

sous l'olivier face à la maison. J'écoute l'Algérie, je sens son odeur et j'écris dans mon petit carnet à spirale pour raconter tout ça.

Je parle même du petit peigne en bois avec lequel mes tantes me lissent les cheveux. Je parle d'Isis, la marque qui a le monopole ici pour la lessive, et aussi le shampooing, le savon, le liquide vaisselle, le dentifrice, les serviettes hygiéniques...

Je raconte la grande fête du premier soir qui a été organisée en notre honneur, le mouton qu'on a égorgé puis le méchoui, toutes ces nouvelles têtes que j'ai dû mémoriser en très peu de temps.

Je parle de ma cousine Khadra qui me colle toute la journée en ne cessant de me complimenter sur le gilet Agnès B. que je porte. Elle le touche, dit qu'elle aimerait le même, qu'elle l'a cherché partout dans les boutiques d'Oran, qu'elle le trouve doux, neuf... Elle espère certainement que je l'enlève et que je le lui file, mais c'est un cadeau que m'ont offert Linda et Nawel pour mon anniversaire. Elle me fout la pression psychologique, ma cousine Khadra. Foued a été le premier à remarquer son manège et il ne se prive pas de me prévenir.

« C'est une vraie crevarde là-celle, j'ai jamais vu ça, c'est un pull wesh, on dirait elle a jamais vu un pull.

— C'est pas juste un pull, c'est mon pull Agnès B.

— Ah ouais... Donc en vérité la zinecou, elle connaît, elle flaire. »

Dans mon carnet, je n'oublie pas de noter ce qui fait marrer Foued. Son truc, c'est de parler français devant les cousins qui pigent que dalle, les pauvres, et surtout de les rendre fous en leur apprenant quelques mots d'argot. Du coup, j'entends les petits de la tante Norah jouer dans la cour en chantant à tue-tête : « Nique la boulice, nique la boulice ! »

Je parle également de ce cousin d'Aïn Temouchent qui a demandé ma main au bout de trois jours ici. Il s'appelle Bilel, genre c'est lui le sex-symbol du village, un light, comme dit Foued. Il a les yeux bleus et c'est devenu sa marque de fabrique. Toutes les bouguettes de ce bled le veulent pour mari juste pour ses beaux yeux. Il vient tous les jours à « Dar Mounia » pour me voir, il se la pète, roule les mécaniques. Il croit m'impressionner mais il oublie que je vis en France, et que je n'ai qu'à prendre le métro pour en voir, des yeux bleus. S'il continue à frimer, Dieu le punira de son arrogance, et un matin, sans rien comprendre, il se réveillera avec des yeux marron. Et ce sera le marron le plus commun du monde. Ça lui apprendra.

On m'a même parlé de vagues propositions de mariage blanc qu'il y aurait eues pour moi. Des mecs offrent des sommes invraisemblables pour épouser des Cif[1], les enchères montent jusqu'à sept mille euros. Je me demande où ils trouvent toute cette tune et c'est affolant de voir ce qu'ils sont prêts à payer pour connaître l'autre côté.

Le vendeur de sardines passe devant moi en mobylette. Le bruit du moteur me déconcentre. Il roule comme un mou, il devrait faire une formation chez Speed Pizza – chez eux, si la commande n'arrive pas dans la demi-heure, la pizza est offerte, alors ils ont plutôt intérêt à se grouiller. C'est marrant comme la vie défile au ralenti ici. Même si nous ne sommes pas là depuis très longtemps, Paris et son agitation me

---

1. « Carte d'identité française ».

semblent déjà loin. Je sens que mon petit frère apprécie d'être là, mais j'espère qu'il comprend aussi que sa vie n'est pas au bled et qu'il se calmera en rentrant, parce que les expulsions m'inquiètent de plus en plus. J'y pense sans cesse, même ici. Je ressasse l'histoire de Tonislav dans tous les sens, je réalise chaque jour que ces enfoirés ont avorté mon histoire d'amour et ont foutu le feu dans les rêves de paille de ce pauvre mec. Et en plus, ils s'imaginent qu'ils vont me prendre mon petit frère ?

Enfin nous partons à la poste, en ville. Nous entrons dans cette salle immense, blindée de rangs de cabines téléphoniques à pièces, étouffée par un brouhaha infernal, noyée dans un tourbillon de djellabas et de *hayeks*[1]. Je voudrais juste appeler Tantie Mariatou afin de la rassurer et de prendre des nouvelles des petits. Nous allons donc dans le coin VIP, réservé aux appels internationaux, et là je vois le sort de ceux qu'on a amenés se perdre ici purger leur deuxième peine. Leur regard est le même que celui de mes frères que je croise tôt le matin à la gare Saint-Lazare, ceux qui ont froid et qui marchent la tête baissée. Entassés autour de ces cabines, ces types, aussi français que Foued ou moi, tiennent nerveusement leur combiné, ils regardent avec inquiétude le compteur tourner. Parfois, ils veulent encore gagner un peu de temps, ils griffent le fond de leur poche pour mettre une dernière pièce – on dit toujours que c'est la dernière... Ils appellent leur mère, leurs potes, peut-être leur copine, ils essaient de parler fort pour couvrir le bruit, et j'ai l'impression qu'en fait, ils

---

1. Tenue traditionnelle consistant en un morceau de tissu de couleur claire dans lequel les femmes s'enroulent.

essaient de parler tout court. J'explique tout ça à Foued, il les regarde, et je crois qu'il est aussi bouleversé que moi. Lorsque nous montons dans la voiture de l'oncle Mohamed, personne ne dit un mot. Nous restons silencieux jusqu'au cimetière.

La grille rouillée est grande ouverte. Ce qui me frappe en premier, c'est la blancheur de cet endroit et aussi son étendue. C'est impressionnant.

Mais le plus effrayant, ce sont les dates de naissance, trop récentes, toutes ces rangées de tombes, ces étoiles à cinq branches pointées vers l'est. C'est dur à admettre, mais il y a des enfants là-dessous. Je réalise alors que Foued et moi, nous aurions pu être enterrés ici. Ça ne tient pas à grand-chose en vérité. Il y a bien eu deux cents morts cette nuit-là, alors deux de plus...

Le Patron est accroupi devant la tombe, silencieux, caressant du bout des doigts la pierre blanche. De temps en temps, il lui arrive de soupirer, on dirait qu'il comprend tout, qu'il sait. Je suis convaincue qu'à cet instant-là, il a retrouvé toute sa tête.

Foued reste debout, les yeux baissés, je l'entends renifler mais je n'ose pas le regarder pour savoir s'il pleure.

Et moi, je me suis assise à même la terre rouge, les paumes posées sur le sol, comme si je voulais qu'elle me donne la force, le courage pour repartir, et affronter la vie.

Nous avons fait une prière pour elle, pour les autres qui reposent là et aussi pour ceux qui les pleurent, pour nous, pour ceux de là-bas. Nous ferons une *sadaqa*[1] en sa mémoire cet après-midi à la mosquée.

Le temps ne roule pas pareil en Algérie, l'heure du départ arrive fourbement. Je promets de revenir très prochainement pour ne pas oublier. Il y a quelque chose dans ce bled que je ne retrouverais nulle part ailleurs. L'atmosphère est spéciale, l'odeur aussi et surtout il fait chaud, peut-être un peu trop. Après tout, ce n'est qu'une question de climat et la chaleur de l'Algérie m'a anesthésiée.

Foued veut rester encore quelques jours avec le Patron. On négocie les billets pour reporter leur retour. Moi, j'ai dû rentrer parce que Oncle Abdou m'attend de pied ferme à la boutique.

---

1. « Offrande » en arabe.

# Trêve

Je suis K-O technique, j'ai cassé mon corps toute la nuit sur la piste de danse du Tropical Club, enflammée, grâce au talent du DJ Patrick-Romuald. J'en profite tant que je suis seule. J'ai encore une semaine de liberté avant que Foued et le Patron reviennent. J'ai l'appartement rien qu'à moi.

Hier soir, avec Linda et Nawel, on s'est bien lâchées. On a réussi à esquiver leurs mecs, Issam et Mouss. C'était facile, il y avait un match de foot à la télé.

Nous avons passé la soirée avec des danseurs brésiliens, Coco, Miguel et Sadio. Ils avaient la grande classe. Trois beaux types qui dansaient archi-bien. Ils nous ont appris deux ou trois pas et offert deux ou trois cocktails de fruits. Coco, le plus beau des trois, m'a suivie toute la soirée et c'était plutôt agréable. On était collés-serrés, on dansait, on suait. C'était exquis.

Vers 4 heures du matin, Coco et moi avons décidé de quitter le Tropical Club. Les autres ont préféré rester. Au vestiaire, tandis que nous récupérions nos affaires, je voyais les filles me faire de loin des pouces et des clins d'œil. Je me sentais embarrassée.

Coco me parle d'une autre soirée proche de là. Je crois qu'il est euphorique, le garçon, il semble opéra-

153

tionnel pour aller jusqu'au bout de la night. Nous montons dans sa Golf et on dirait que tout est fait exprès : les sièges en cuir couleur crème, le disque de Marvin Gaye dans l'autoradio, la conduite souple... C'est la Coco attitude. Pendant le trajet, il lui arrive de poser sa main sur mon genou, de me sourire, de me demander d'une voix suave si ça va.

On arrive enfin. Il gare la caisse et me donne un baiser pudique. Je vois d'ici la file d'attente. Il y a une centaine de personnes. La flemme de faire toute cette queue. Au final, c'est même pas sûr qu'on puisse entrer. En plus, j'ai mal aux pieds, je porte des pompes du magasin. Je me rends compte que je passe mes journées à vendre des chaussures de mauvaise qualité. C'est un escroc, au fond, cet Oncle Abdou.

En sortant de la voiture de Coco, j'entends les oiseaux. J'ai horreur d'entendre les oiseaux à l'aube.

Coco me fait un signe de la main et s'éloigne. C'est gentil de sa part de m'avoir déposée. Il avait l'air déçu que je ne l'accompagne pas à sa soirée. Il a promis de me rappeler dès demain, mais s'il ne le fait pas, ce n'est pas un souci pour moi. Comme Tantie dit souvent, « il faut embrasser plusieurs crapauds avant de trouver son prince ».

Je m'approche de la file d'attente. Toujours ces mêmes figures fatiguées. Ces gens lassés. Ces étrangers qui viennent à l'aube pour un ticket.

Il est 6 heures du matin et je suis devant la préfecture.

## DÉDICACE

Pour ma famille.
Mon père, Abdelhamid Guène.
Ma mère, Khadra Kadri.
Ma sœur, Mounia Guène.
Mon frère, Mohamed Guène.
Que vous soyez fiers de moi.
Je vous aime.

Pour tous ceux qui m'ont soutenue et encouragée.
Pour les Courtillières, représente.
Pour mes amis, merci.
Pour ceux incarcérés, gardez la pêche.
Pour l'Algérie. ≠ France
Pour tous les oufs, ceux d'ici et de là-bas.
Pour ceux qui rêvent.

# Table

Faïza Guène
dans Le Livre de Poche

*Kiffe kiffe demain*                    n° 30379

Doria a quinze ans, un sens aigu de la
vanne, une connaissance encyclopédique
de la télé, et des rêves qui la réveillent.
Elle vit seule avec sa mère dans une cité
de Livry-Gargan, depuis que son père est
parti un matin pour trouver au Maroc
une femme plus jeune et plus féconde.
Ça, chez Doria, ça s'appelle le *mektoub*, le destin : « Ça
veut dire que, quoi que tu fasses, tu te feras couiller. »
Alors autant ne pas trop penser à l'avenir et profiter du
présent avec ceux qui l'aiment ou font semblant. Sa mère
d'abord, femme de ménage dans un Formule 1 de Bagno-
let et soleil dans sa vie. Son pote Hamoudi, un grand de
la cité, qui l'a connue alors qu'elle était « haute comme
une barrette de shit ». Mme Burlaud, sa psychologue, qui
met des porte-jarretelles et sent le Parapoux. Les assis-
tantes sociales de la mairie qui défilent chez elle, toujours
parfaitement manucurées. Nabil le nul, qui lui donne des
cours particuliers et en profite pour lui voler son premier
baiser. Ou encore Aziz, l'épicier du Sidi Mohamed Market
avec qui Doria essaie en vain de caser sa mère. *Kiffe kiffe
demain* est d'abord une voix, celle d'une enfant des quar-
tiers. Un roman plein de sève, d'humour et de vie.

le cynisme
l iponique

les sarcasmes

*Du même auteur :*

guerre
civil

KIFFE KIFFE DEMAIN,
Hachette Littératures, 2004.

une carte de séjour

« épargne-moi les sarcasmes »
Le Balto
⤷ liens les jeunes de Balto

Le café des histoires
la fiction, la

Composition réalisée par NORD COMPO

Achevé d'imprimer en mars 2009 en France sur Presse Offset par
Maury-Imprimeur - 45330 Malesherbes
N° d'imprimeur : 144966
Dépôt légal 1re publication : janvier 2007
Édition 04 - mars 2009
LIBRAIRIE GÉNÉRALE FRANÇAISE - 31, rue de Fleurus - 75278 Paris Cedex 06

31/2186/0

il faut choisir